ゆたかはじめの
ゆんたくゼミ

もうひとつの沖縄文化

ゆたか はじめ　著

はじめに

那覇のユニークな映画館、桜坂劇場のカルチャーセンター「桜坂市民大学」で、一〇年ほど講師を続けている。二〇一四年四月の二八期からは、講義でなく、ゆんたくゼミと名付けて「もう一つの沖縄文化」を扱ってきた。ゆんたくは沖縄でおしゃべりのこと。自分の体験をもとに、毎回さまざまなテーマを取り上げて私がまず話をし、あとはお互いに知識や経験を気ままに語り合う。その日のテーマにちなんだ映像や音楽、資料、写真などもお見せしている。少人数の講座だが、生粋のウチナーンチュ、本土からの移住者、赴任中の夫と暮らす奥様など、男女、年齢を問わずいろいろな方が聴いてくださる。常連の方々にも支えられ、私自身も多くのことを学んだ。

すでに一〇〇回を超えたこの講座。多岐にわたる内容を残しておいたら、との声もあるので、私が残したメモを、一回ずつ文章に書き直しまとめてみた。語り口の楽しさ、こぼれ話や脱線トーク、映像や音楽まではお伝えできないが、行間から発想を展開させるのもいいかと思う。これも文化と見直すものもあれば、好ましくない文化もある。格調高い琉球文化とはまた違った沖縄が見えてくる。

この本の出版作業中に、沖縄のシンボル首里城正殿が焼失した。文中数箇所に正殿のことが出てくるが、この講座の主題ではないので、語った当時のままとした。

ゆたか　はじめ

もうひとつの沖縄文化
―ゆたかはじめのゆんたくゼミ―

＊目次

※写真は特記したもののほか筆者撮影

一　沖縄への移住

私は一九九三年に裁判所で定年を迎え、家内ともども生まれ育った東京から沖縄に移住した。沖縄は一九八〇年に一度赴任し、一年一〇カ月過ごしたことがあるだけで、地縁血縁は全くない。現役のころから定年後は一切法律の仕事から離れたいと考えていたが、東京に住んでいてはそれができない。暖かい沖縄は、独特の歴史と優れた文化をもち、パワーに溢れ、次の人生を生き抜くにはもってこいの土地だと思ったからである。当時はまだ沖縄に移住する人は少なく、海外に準じるほどの感覚であった。でもこの選択は大正解であった。

沖縄は移住にかかわる出来事が多い。大東諸島は東京八丈島の移民が開拓した。戦時中波照間島から西表島への学童住民の強制移住はマラリアによる悲劇に終わった。硫黄鳥島は火山噴火のため島民が久米島に避難移住し無人島となった。また戦前戦後を通じ多くの沖縄の人ウチナーンチュがハワイや南米に移住している。

一方沖縄は異文化をもつ人たちを温かく迎え入れてきた。一般には開放的だが、歴史経験から本土に不信感をもつ人もいる。結婚しても、ヤマト嫁、ウチナー婿《むーく》と呼んだりする。だが失敗も成功もすべて移住者の心得と出方次第。ウチナーンチュはそれをよく見ていて、受け入れるか、それともナイチャーと呼んで適当につき合う。

移住にはそれなりの決断と覚悟が要る。夫婦なら一緒に、また家族も賛成してくれることが望ましい。郷に入れば郷に従う気持ちの切り替えが必要だ。沖縄の文化や風習を尊重し、移住者として謙虚さを失わない、もとの肩書や地位、業績を自慢しない、この心構えができていないと嫌がられる。沖縄の海にあこがれて移住したのに、早々と引き上げていく人がいる。自分の経歴をひけらかす、税金を払わずゴミは出す、地域の行事やしきたりに無関心、ときには無視する。これでは移住が成功するはずがない。

沖縄への移住によって新しい生活が始まる。人や物の交流を通じ、これまで住んだ土地と沖縄との架け橋ともなる。カルチャーショックを受け、堅くなった頭を刺激する。もとの暮らしとの絆《きずな》を断ち切るきっかけともなる。まさに生活と文化の革新といってよい。日本もよく見えてくる。ただどんなに溶け込んでも、ウチナーンチュになり切ることはできないと心得よう。

ウチナーンチュにとっても、気持ちのいい移住者は沖縄の貴重な良き理解者であり、一緒に暮らすことにより、親近感も生まれる。新鮮な本土の文化にも接し、教えられるところが多く、ものを見る目も養われる。ときには内心ギクリと「うちあたい」することもあるだろう。お互いの文化を尊重し合うのが、うまくいくコツだろうか。

二　温度差

沖縄は亜熱帯地域にあるので、平均気温も東京に比べて暖かい。北海道が氷点下三〇度で沖縄が二〇度と、五〇度の差がある日もあるのだ。逆に東京より涼しい日もあるから面白い。でも温度差とはこのことでない。本土の沖縄認識と沖縄の本土認識にズレがあることをいう。毎年四月二八日は日本主権回復の日か、それとも沖縄屈辱の日か。こうなるともう温度差どころでなく、落差か断崖だろう。

私もこの地にご縁をもつまで、沖縄がかつて琉球王国という独立国であったことを全く知らなかった。中国に冊封《さっぽう》の礼を尽くし、薩摩の侵攻を受けながらも、明治一二年(一八七九)、明治政府によって滅ぼされるまでそれが続いたのである。たとい小国、属国であっても、数百年間、武力に頼ることなく交易と文化で国を繁栄させてきたのだから、ものの考え方、扱い方がまるで本土と違う。子供のころから富国強兵で育ってきた私は、大きなカルチャーショックを受けた。こんな国があったんだ。沖縄県になった後も、教育や税金、選挙など本土と差別があり、ウチナーンチュがヤマトから蔑視されたことや、地上戦で全てが焦土砂漠となり、戦後二七年間アメリカ統治下にあったことなど、驚くことばかりであった。本土と遠く離れていて情報がなく、沖縄の歴史や文化について全く学ぶことがなかったからである。

ウチナーンチュが本土に渡れば屈辱の連続であったというが、それでも具志堅用高や南沙織の活躍で、少しずつ沖縄に目が向けられるようになってきた。昨今、ようやく沖縄の文化、ことに芸能、工芸の世界では本土にひけを取らないと評価され、若者が沖縄に誇りをもち、コンプレックスを持たなくなったのは、大きな変化であろう。

沖縄県は、島を全部合わせれば、東京都や大阪府より広く、沖縄より人口の少ない県が沢山ある中で、今なお人口が増え続けている。台湾は九州より近く、香港、マニラも東京と同じくらいの距離で、東南アジアの中心地である。そんなことも本土の人は知らない。ウチナーンチュからの発信もまだまだで、もっと積極的に、誇りを持って欲しいと思う。

観光客は、あの朱色の宮殿首里城を見て感嘆するが、明治政府による首里城明け渡しの悲劇をどれだけ知っているだろうか。武力でなく、交易と芸能の力によって小国が栄えたことや、「命《ぬち》どぅ宝《たから》」、命をまず大切にするものの考え方が潜んでいることに、どれだけ気づいてくれるだろうか。

本土の沖縄に対する無知、無関心は余りにもひどすぎる。この段差を少しずつ埋めていくことが、私たちに求められている。もともと沖縄は独特の歴史と文化、風習やものの考え方をもった土地柄だから、温度差くらいは当たり前、あって不思議ではない。でも温度が高いのは、本当はどっちかな。

琉球王国の繁栄を刻んだ「万国津梁の鐘」の現代版、万国津梁の壁。ゆいレール那覇空港駅にある儀間比呂志原画のアートガラス〈二温度差〉

三

離島めぐり

私が鉄道乗り歩きを始めたのは、若いころローカル線で銅山の町栃木県の足尾を訪ねたとき、公害でハゲ山になった風景を見て、ショックを受けたのがきっかけである。日本の風景と人の心を求めて約三〇年、地下鉄、路面電車を含む全国の鉄道全線を完乗した。その後できた新線にも乗りに行っている。

一九八〇年に沖縄に赴任してきたときには、南大東島以外に鉄道がないので、バスと船、ジョギングで県内を巡った。有人島巡りもその一つである。沖縄を肌で知るためにせめて人が暮らしている島ぐらいは訪ねてみたい。でもこれが結構数多くある。沖縄では生まれた村のことを「シマ」というが、そのシマではなく、本当の島である。

日本の最東端は南鳥島、最南端は沖ノ鳥島、北は択捉《えとろふ》、南は幻の島ハイハテルマか。鹿児島、長崎、東京、瀬戸内海にも離島は多いが、沖縄は本島自体がすでに離島である。本土から見れば沖縄は小さな島、先島で沖縄と言えば沖縄本島のことである。私は赴任中と移住後を含め、全有人島を二回以上は訪ねた。家内も一回以上訪ねている。まだ橋なんか架かっていないころのことだ。航空路線や定期船のない島には、漁船をチャーターして渡るしかない。

島を肌で知りたく公務の合間に出かけるので、休日は限られ、海も荒れる。ウチナーンチュは、こんなことはしないだろう。

島にはそれぞれ、暮らしやしきたりがある。よそ者や男性が入ってはいけない場所もある。興味本位で踏み荒らすのはもってのほか、島に礼を尽くし、訪ねさせていただくという気持ちが大切である。そうすれば島人たちは温かく迎えてくれる。

伊平屋、北大東、与那国、波照間と、東西南北の果ての島、行きにくい久米島沖のオーハ島や多良間沖の水納《みんな》島、大神島、鳩間、パナリと呼ぶ新城《あらぐすく》の二島も訪ねた。それぞれ暮らしや文化に違いがある。再訪すると、変わった島、変わらぬ島の差が歴然としている。

船でしか行けない西表島陸続きの舟浮《ふなうき》や、今は消えた網取《あんとぅり》にも行った。海が暮らしを遮るのは島と同じだ。本土では離島苦といって、海が島を閉ざし厳しい暮らしを強いられる感覚が強い。沖縄にも「島ちゃび」という言葉がある。台風、病気、島泊りなど、本当は大変なのだが、自然に逆らわない強さがあり、島民の表情は意外と明るい。小さな島でも、お年寄りと一〇分も話していると「アメリカにいる娘が」とか「台湾の菓子うまいよ」といった具合に外国の話がさりげなく出てくる。海があるからどこへでも行ける、世界に通じているというスケールの大きさを感じる。

東京のような大都会でも、コンクリートジャングルの中で人や暮らしが孤立し、病院もたらい回しをされ、孤独死も増えているではないか。

四

県産本

東京ではアンテナショップが賑わっている。沖縄の「わしたショップ」は、その草分けで、県産品と呼ばれる土産物、工芸品、食料品などがところ狭しと並んでいる。これと同列に扱われるほど盛んなのが、沖縄で出版される年間数百冊にも及ぶ新刊図書で、とくに「県産本」と呼ばれる。毎年「県産本フェア」も開かれる。このほか本土で出版される、沖縄の歴史、沖縄戦、文化、芸能、生活、風習、信仰、料理などを扱ったものも数多く、これも含めた沖縄郷土関係本は、書店のかなりのスペースを占めており、実に壮観で、ちょっと他の府県ではみられない風景だろう。

昨今はＩＴ、メール、スマホ全盛で、活字離れ、新聞離れが進み、読書の習慣が薄れてきた。出版業界は不振と言われ、ことにウチナーンチュはあまり読書しないというが、先ごろ那覇にできた一八〇万冊を揃える本土系書店ジュンク堂が盛況なのは不思議なくらいだ。

私の初めての著書は、一九八四年にひるぎ社から出したおきなわ文庫の一つ『沖縄の心を求めて』で、レッキとした県産本である。一二刷りを重ねベストセラー入りをした。当時はまだ現職の判事が法律以外の本を出すなんて考えられない時代であった。このほか私の出した本のうち七冊は県産本である。沖縄に中小出版社は数多くあるが、どこも経営が苦しく引き受けるほうも慎重である。それでも『沖縄の鉄道と旅をする』を県産本で出すのにこだわったのは、機微にわたる部分をウチナーンチュの編集者にチェックしてもらいたかったからである。お陰で、那覇ことばと首里ことばの違いを見事に指摘してくれた。お年寄り向きに、文字を少し大きくしたのもよかった。

自費出版も多い。自分史、歌集、句集など、お金はかかるが、自由に好きな本が出せるところがいい。印刷会社が、自費出版を手伝ってくれるところも増えた。販売が目的でないことが多いから、書店に並ぶのは限られる。でもお年寄りは、趣味や業績を形にして残しておきたいという気持ちがある。老けないためにもよい刺激になるのではないか。

地上戦で砂漠になった沖縄では、とくに古本が貴重である。乏しい沖縄本の古書を集めて店頭に置いたり、採算を度外視して琉球古典書の復刻版を出版している書店もある。そんな店を訪ね歩くのも面白い。

私が、最初に愛読した県産本は『むかし沖縄』という琉球新報社が出版した写真集である。首里の佇まい、壺屋の風景、市場の賑わい、女性の逞しさなどがモノクロ写真で浮き彫りにされている。そこには世界遺産の格式も、伝統工芸の気負い込みも全くない。戦前の沖縄を知らない私にとって、最高の教科書であった。県産本には、こうした沖縄の文化が隠れ秘められているのである。

五　クルーズ船

海を渡るにも航空機の時代である。昔は舟か船と決まっていた。サバニから山原《やんばる》船、進貢船や御冠船《うかんしん》と船体は大きくなり、那覇の港は中国、東南アジア、ヤマトなどからの船で賑わった。一方で外国船の遭難も多く、島人は命がけで漂流者を救助し、亡くなった人を手厚く葬った歴史もある。戦前は蒸気船による海運が盛んで、沖縄航路は、那覇とヤマトの通い船と呼ばれた。

阪神航路は大阪商船の台南丸、台中丸、鹿児島航路は首里丸、嘉義丸、ほかに台湾航路もあって、那覇港のある通堂《とんどう》や、泊の辺りは港町の風情が漂い、いつも賑わっていた。汽笛やドラの音が響き、五色のテープが別れを惜しんでいたに違いない。

私が初めて大型客船にふれたのは戦前、父の欧米出張を横浜港へ見送りに行き、日本郵船箱根丸の船内に入ったときである。戦前の日本は世界に誇る海運国だったが、戦時中大型船は軍に徴用され、軍需物資や兵士の輸送に使われ、箱根丸を含むほとんどの船が敵の攻撃を受けて沈没している。戦後、僅かに残った興安丸による復員引揚、氷川丸による米国留学などが目立った。国鉄連絡船洞爺丸や紫雲丸の遭難、沖縄では一九六三年の久米島航路みどり丸の沈没なども忘れたくない。

ところで今は、フェリー、貨物船、タンカー、豪華客船と、巨大船が花盛りである。那覇の若狭にもクルーズバースができ、一三万七千トンのボイジャー号のような国内外の巨大クルーズ船が毎日のように寄港している。まるで巨大ビルが陸に迫ってくる様相だ。二隻同時に入港すると、安謝《あじゃ》の貨物新港も使ってさばいている。朝入港し、夕方出航するまで、何千人という観光客が街や観光地に繰り出す。昼食とお土産を買う程度の駆け足観光だが、その受け入れ体制ができていない。公共交通が乏しく、観光バスやタクシー、駐車場も不足で、市民まで影響を受ける。港町の風情も全くない。観光は空路と思っていたら、こんなことになってきた。高齢者や身体弱者も旅をしたいし、ゆとりの観光を求める風潮が高まってきたからだろう。私の友人も何組かは、クルーズ船で沖縄に来ている。

私が沖縄の船に乗ったのは、復帰前の一九七〇年、石垣から西表島にポンポン船で渡ったときが最初で、その後は、鹿児島、宮古、石垣、大東航路のほか離島めぐりの船旅をした。クルーズ船飛鳥《あすか》で台湾へ、飛龍で香港を往復したこともある。クルーズ&フライトというツアーに参加し、行きは日南まで飛鳥Ⅱで一夜を過ごし、宮崎に泊まって空路帰着したこともある。今の巨大クルーズ船は、昔の船のように大きく揺れたり、ペンキの臭いがひどかったりすることがない。服装の決まりも緩やかになってきた。短期で格安のクルーズ船ツアーもある。参加してみたら。

六

琉球八景

日本人は数を限って評価するのが好きだ。日本三景の松島、天橋立、宮島や、三名園の偕楽園、兼六園、後楽園は有名だが、三名湯の草津、下呂、有馬や、三大稲荷の伏見、笠間、祐徳などには異説も多く、なかなか決めかねる。二つまではともかく、三つ目をあいまいにする手もある。四天王、五目飯、六歌仙、七福神、近江八景に、ベスト一〇、百名山などと続く。沖縄にも琉球三賢人や琉球八社がある。

江戸時代の有名な浮世絵師、葛飾北斎は「琉球八景」を描いた。琉球の優れた風景を八つ選び、それぞれを美しい八枚の木版画に描き残している。彼は「富嶽三六景」も描いているが、琉球には一度も来たことがない。中国の史書「琉球国志略」の挿絵をもとに、話を聞いたり、想像で描いたものだとされている。

当時江戸では、琉球国から幕府への謝恩使、慶賀使として派遣される「江戸上《のぼ》り」の一行をしばしば迎えた。琉球文化の粋を集めた衣装、音楽、芸能などは、江戸の人たちの目を見張らせたに違いない。そんな琉球ブームが、この絵を生み出したのだろう。

泉崎夜月《いずみざきやげつ》、臨海湖声《りんかいこせい》、粂村竹籬《くめむらちくり》、龍洞松濤《りゅうどうしょうとう》、筍崖夕照《しゅんがいせきしょう》、長虹秋霽《ちょうこうしゅうせい》、城嶽霊泉《じょうがくれいせん》、中島蕉園《なかしましょうえん》

の八枚で、波上宮や中島大石《うふいし》など、今でも面影を偲ばせる。中でも長虹堤《ちょうこうてい》の絵は美しく、その姿を残す資料として珍しい。尚金福王時代の一四五一年ころ、当時小島であった那覇に、王命を受けた懐機《かいき》が石造りの海中道路を造ったのである。神に祈り難工事を完成させた。これにより那覇と首里が一本の道で結ばれた。この発想は、その後那覇港と首里を結ぶ路面電車に、そして那覇空港と首里を結ぶゆいレールにと引き継がれていく。沖縄の交通の原点を見る思いがする。

「琉球八景」の本物は、現在浦添市美術館に所蔵されている。県立芸大の学長をされた宮城篤正さんが館長時代に入手されたものだと聞く。沖縄の宝の一つだろう。またこの制作過程を示す珍しい「校合刷り《きょうごうずり》」も所蔵されている。私も何度か実物を見ているが、色彩が鮮やかで、つい見とれてしまう。冊封副使として琉球に滞在した文化人徐葆光《じょほこう》は、琉球八景を訪ね、漢詩に詠んでいる。私も現在の琉球八景跡を訪ねて回った。そして私なりに「ゆいレール八景」を選んでみたが、いかがだろう。

万国津梁(那覇空港駅)、最南端駅(赤嶺駅)、漫湖曲走(天燈山眺望)、飛翔幻想(県庁前駅舎)、一哩《いちまいる》跨橋(国際通り牧志)、昇龍青天(末吉公園遠望)、海陸一望(儀保駅ホーム)、王宮朱飾(首里車窓)。

車でなく足で歩き、自分なりの「那覇八景」「首里八景」を選んでみては。

七

花ブロック

私は自宅の増改築、新築を何度かしているが、とくに建築に興味をもったのは、一九六九年から四年余り最高裁経理局の課長として、全国裁判所の予算、庁舎、宿舎の整備を担当したときからであった。今の最高裁庁舎の新営をはじめ、全国各地を回り、海外出張を通じ、建築は街の中に生き、風土に根ざすものだということを学んだのである。

建築は戦前戦後で大きく変わる。中でも地上戦で全てを失った沖縄の変わりようはとくに激しかった。戦前の民家は茅葺き屋根が中心で、赤瓦は身分の高い人でなければ許されなかったという。戦争末期の一〇・一〇空襲で那覇の木造家屋が焼き尽くされ、立派な塔をもった那覇市役所や、モダンな那覇郵便局も焼け落ちた。

戦後砂漠となった沖縄は、まずテントから始まり、ツーバイフォーの規格住宅、米軍カマボコ型建物と変わっていく。バラックに続きブロック建築も現れた。屋根も茅葺きからブリキ、セメント瓦、赤瓦へと移っていく。復帰前初めて沖縄を訪ねた一九七〇年ころには、まだ国頭村宜名真《ぎなま》辺りに茅屋根が沢山残っていた。

戦後はアメリカの影響もあり、平屋や低層建てが多かった。プラザハウス、ムーンビーチ、外人住宅など今も健在で、シャワーだけのホテルや、一風変わったトイレもある。木造家屋は台風で家ごと吹き飛ばされることがあったが、昨今はコンクリヤーと呼ばれるコンクリート造りの民家が増えて、主流となった。看板を壁にペンキで書くこともある。

それにしても花ブロックの美しさはどうだろう。本土では見られない建物風景だ。アメリカ世の沖縄で生まれた建築工芸で、無粋なブロックに空けた丸や四角、菱形などを刻んだ穴を組み合わせ、すてきな幾何学的デザインに積み上げていく。どこか琉球絣や花織の模様に通じるものがある。本来平凡なブロック壁や塀にアクセントがつき、建物に個性と奥行きを感じさせる。与那原の聖クララ教会、市役所や博物館などの公共建物や、マンション、一般民家にまで広く使われている。その使い方がうまいのだ。外から中が見えにくく、中からは外の様子が判る。風は涼しく抜け、強烈な日差しをよけてくれる。開放的で沖縄にふさわしい建物になっている。

日銀沖縄支店、那覇市役所など、役所の庁舎まで沖縄らしいものが増えてきた。赤瓦と白漆喰、それに花ブロックをあしらった民家が並んでいると、青空に映えて街に風格を感じる。首里の龍潭通りは、街づくりとして、白いコンクリヤーに赤瓦を葺き、花ブロックによるデザインも取り入れ、美しい景観を創り出した。沖縄の建築は設計者の腕の見せどころだと言われている。魅力ある沖縄建築は、本土に誇っていい。それにしても沖縄に超高層ビル、違和感はないのかな。

八　下戸の泡盛

うちなーぐちで「サキジョーグ」といえばお酒好きのこと。本土にも上戸《じょうご》、下戸《げこ》の区別がある。もともと民家の婚礼の席で、徳利の数の多いのを上戸、少ないのを下戸と言ったらしい。上戸は大酒飲みや、酒癖の悪い場合にも使う。暴力はもってのほか。泣き上戸や、からんだりグチをこぼすのもいただけないが、笑い上戸は大いに結構だ。

私は酒が飲めない下戸である。奈良漬けや酒粕にも酔うくらいだった。それでも若いころ酒どころ秋田に赴任し、雪のちらつく中で地元銘酒「新政《あらまさ》」を口にしたときは実においしかった。それなりに嗜むことはあるが、すぐに寝てしまうので今はあまり飲まない。海外旅行のとき、名産ワインやビールを沢山いただけないのは残念だ。

子供のころ東京小石川の自宅近くに居酒屋が一軒あり、夕方になると「琉球泡盛」と書いた提灯《ちょうちん》に灯がともった。何か不気味な感じがしたが、これが泡盛との出会いである。復帰前の沖縄に出張してきたとき、桜坂でてびちを肴に泡盛を少しいただいた。ホワイトホースやジョニ黒が全盛で、きつい匂いの泡盛は珍しかった。

復帰後の沖縄赴任中はよく、パーティーで泡盛の水割りをコップでいただいた。匂いは薄れ飲みやすくなり、利き酒会で銀賞を取ったこともある。でも泡盛徳利のカラカラと小さな盃チブグヮーで、四三度を生のまま舐めるようにいただき、氷水を口に含むのが一番おいしいように思う。食事をすませ、月を眺め、三線の唄を聴きながら、じっくりと腰を据えて飲むのが本当のサキジョーグ、豆腐ようは爪楊枝で削り少しずつ食べるものだと教えられた。盃のやりとりやガブ飲み、無理強いはしないから、悪酔いもしないのだろう。酔いが長くもつので、ナイトキャップの寝酒に向いている。

　定年直前、東京から沖縄に移住を決断したときも、家内と寝酒の泡盛でほろ酔い気分のサーフーフーになっていた。泡盛は、これほどの人生の決断をするときソッと肩を押してくれる。坂口謹一郎博士の「君知るや名酒あわもり」はつくづく名言だと思う。

　古酒《くーす》の飲み方を、琉球最後の国王尚泰の子息、松山王子の尚順さんが遺稿集の随筆に書いている。甕《かめ》を幾つも並べ、親酒から飲んだ分を次の甕から二番三番と順次注ぎ足していく。仕《し》次《つぎ》という方法で風味が保たれるのだ。うなぎ蒲焼きのタレや蕎麦ツユと同じ筆法である。五〇年、百年ものも、こんな秘密から生まれるのだろう。読んでいるだけで古酒の芳醇な香りが漂ってくる。

　泡盛のシンポジウムでパネラーをつとめたとき、会場から「瓶でも古酒はできますか」と質問があった。専門家は「瓶でも立派に熟成します」と答えていたが、私は「でも瓶と甕では風情が違いますね」と申し添えた。

九 ビーチパーリー

食事をするのは茶の間やいろり端が普通で、昔は家長を中心に座る場所まで決まっていた。円形のちゃぶ台も戦前の懐かしい風景。今や外食産業も盛んだが、昔から野外で食事を楽しむ風習はあった。野遊び、野立て、遠足、ピクニック、花見のほか、川床料理、屋形船、鵜飼などがある。赤坂御苑の園遊会、新宿御苑の観桜会も野外で行われる。

沖縄の戦後風物詩はビーチパーリー。パーティーではなく、パーリーとアメリカ式に発音する。アイスワラー、コーヒーシャープ、バッフェの類いである。

沖縄に赴任したとき、何度もビーチパーリーの体験をした。気の合った仲間が五、六人も集まるとすぐに話がまとまる。食材は厚切りの安い牛肉、どこ産の肉とかどこの部位とか一切こだわらないが、すごい量だ。野菜なども含め、材料は全部〇〇ミートという肉屋さんで揃う。車に分乗してビーチに向かい出発。熱く焼けた白い砂浜にテントを張り、ドラム缶を半分に割った中に炭を入れ、あり合わせの鉄板の上でミートや野菜をジューージュー焼き、紙皿に取ってモリモリ食べる。シメは沖縄そばの鉄板焼き。飲み物はオリオンビールかコーラがほとんど。みんな海水着姿で、合間には海で泳ぐ。お年寄りも子供も一緒。まさにアメリカ気分そのものである。最近のビーチは、ビーチパーリー用の屋根つき設備を作り、鉄板や食材一式もそこですぐ調達できるようになった。

真昼が多いが、空が金色に輝く夕陽のころ、また朝まで夜を徹してやることもある。月でも出れば最高。食べるのが中心で、やかましい音楽を流したり、大騒ぎをしたりすることは少ない。後片付けがまた見事だ。男もみんなで手伝い、鉄板を海につけ、海水でジャブジャブ洗い、ゴミはポリ袋に集めて全て持ち帰る。沖縄のパワーを目の当たりにする思いであった。

本土でもアウトドアの焼肉パーティーが盛んだ。バーベキューといい、家庭の庭やキャンプ、別荘などでよく催される。道具一式も売り出されているが、何となく上品で、迫力はいまいち。肉の分量といい、豪快な野菜といい、メンバーの動きといい、パワーがまるで違う。

沖縄では、旧暦三月三日の浜下《はまうい》りに、女たちが浜辺に出て磯遊びをしご馳走をいただく。清明《しーみー》の季節や旧暦のお盆には、大きなお墓の前に一族が集まり野外の宴会が開かれる。ビンシーという携帯用の拝み道具が入った小箱を中心に、重箱に詰めた色とりどりのご馳走、クワッチーをいただきながら、歌三線《うたさんしん》の調べに乗って賑やかに過ごす。そんな土地柄だからこそ、ビーチパーリーも自然に盛り上がるのだろう。

青い海と白い砂浜、灼熱の太陽の中でも行われるビーチパーリー、安易にビーチパーティーとか、バーベキューなどと呼ばないで欲しい。

一〇　沖縄の音

歳をとると耳が遠くなり、気配を感じることがなくなる。私も、性能のいい補聴器をつけているが、雑音も全て拾い、音楽を美しく聴けないから、自然の耳にはとても及ばない。地獄耳とか空耳とかいうが、都合のいいことだけ聴ける耳はないものか。

子供のころの東京で聞いた音は、風鈴、金魚売り、豆腐屋のラッパ、チンチン電車など。庭に来るウグイスの声もよかった。戦争になると、音はにわかに殺風景となる。軍歌と軍《ぐん》靴《か》、行進曲とラッパ、空襲のサイレン、焼夷弾の落下音などは忘れられない。私も東京大空襲で家を焼かれ、火の粉を被って逃げ惑った。父や妹も長崎で被爆した。

沖縄にもさまざまな音がある。サンゴ礁のリーフに囲まれたイノーの音は静か。磯の香はあまり強くない。巻き貝の殻に耳を当てると波の音が聞こえてくる。ガジュマルやあかぎの大樹にも息吹の音を感じるが、サガリバナの落下音は聞こえるだろうか。アカショウビンのキョロロロー、三光鳥の月日星ホイホイと鳴く声は美しい。

小路のスージグヮーを歩けば三線《さんしん》の音色がどこからともなく聞こえてくる。「ちんだみ」というのは音の調整のことと知った。四つ竹、三板《さんば》、パーランクーといった沖縄独特の楽器に、エイサーのリズム、中国の二胡や打花鼓《ターファークー》の演奏も聴け、綱引きやハーリーで鳴らすドラや爆竹の音も、本土では滅多に聞けないものだ。ドラは昔、船の別れに必ず鳴らしたものだった。NAHAマラソンのスタート合図に、ピストルでなく梵鐘を鳴らすのは面白い。万国津梁の鐘の音は県立博物館で聴くことができる。市場で聞くオバアの会話、沖縄芝居のせりふ、組踊の発声、どれも外国語みたいだ。しかも本島各地、宮古、八重山で、それぞれ言葉が全く違う。日出克の歌う「ミルクムナリ」、意味が判るだろうか。それにしても昨今のライブは、少し音が大きすぎるのではないか。あんなにまで音量を上げなくても十分楽しめるのに。近所も迷惑。若者はいずれ難聴になり、補聴器のお世話になるだろう。

沖縄では聞けない音がある。一つは鉄道の音。昔は県営鉄道ケイビンが「アフィー・シッタンガラガラ」と音を立てて走っていた。ゆいレールは方式が違うので、レールの継ぎ目のコトンコトンという音も、踏切のカンカンという音も聞かれない。強いていえばヒューコロロ、ヒューコロロか。もう一つは雪の夜の静けさ。何も聞こえないような世界からシンシンと音を感じるのである。

迷惑千万な音もある、劇場での携帯音。車の騒音、ことに高級車やバイクが、わざと高音を出して走るのは何としたものか。マナー違反を通り越して暴力である。そして基地を飛び立つ軍用機の爆音。みんなに嫌われている。

右・花ブロックの美。那覇市内マンション〈7 花ブロック〉

左・音もなく散るサガリバナ。筆者自宅ベランダ〈10 沖縄の音〉

二　テイクアウト

沖縄では、人が集まり食事のもてなしを受けると、おなか一杯なのに「食べろ食べろ」とカメカメ攻撃を受ける。とにかく料理の分量が多いので、結局食べ残しが出る。これを集まった人たちが分け合って持ち帰るのが普通である。いわば残りものの残飯整理なのだが、食べ物を粗末にしない、まだ食べられるのにもったいない、という気持ちが働くからだ。

食堂や飲食店などでも、一般に量が多いので、食べ残した料理は持って帰る。店のほうでも、ポリ製フードパックを用意しており、当然のこととされる。そんなことは恥ずかしくてできない、はしたないという考えもある。アメリカでは「犬にやるから」といって食べ残しを袋に入れて持ち帰るドッギーバッグと呼ばれる風習があるそうだが、これに当たるのが沖縄のテイクアウトだ。残したまま捨てられるよりずっといい。

店頭で初めから惣菜や弁当の持ち帰りを予定して買う一般のテイクアウトとは違う。土産ものや駅弁、イートインとも違う。ハンバーガーやコロッケ、アイスクリームを歩きながら食べるのもテイクアウトではない。消費税値上げのときはどうなるのかなぁ。

一流ホテルや高級レストランでは、食べ残しの持ち帰りはもちろんご法度。紳士淑女のやることではない。本土では、一般の食堂やお店でも持ち帰りを禁止しているところが多い。料理が痛んで中毒を起こしかねないという衛生上の理由からで、保健所の指導もあるからとか。でもそのために大量の食べ残しが次々と捨てられていく。大都会や、日本全国の食べ残しを考えたら、本当にもったいない。でも、バイキング方式のレストランで持ち出し禁止なのは常識である。

そこへいくと沖縄では、テイクアウトをどこでもわりと当たり前のように行なっている。さすがに一流ホテルやレストランでは断られるが、そこは相手を見ての対応で、かなり緩やかだ。沖縄の大衆食堂では、お年寄りのグループや、家族連れがいろいろな種類の料理を沢山注文して賑やかに食べる。残った料理はすべてテイクアウト。お店のほうも心得ていて「テイクアウトね」と、ごく当たり前のように包んでくれる。私たち夫婦もなじみの店でよくテイクアウトして帰る。余った料理が次の一食分に活かされるのは、何とすてきではないか。それでいて中毒したという話は聞いたことがなく、暑くてものが腐りやすい沖縄でそれが行なわれるのは不思議でならない。

まだ食べられるか、腐っていないか、おなかをこわさないかは、他人のせいにせず、すべて持ち帰った自分で判断する。賞味期限がどうとか、店に責任を負わせるようなことはしない。これが自己責任というもの。

一二　「わ」ナンバー

私が子供のころの自動車は、箱形で予備タイヤを横につけ、ブーブーとラッパを鳴らして走っていた。庶民が利用できるのは「円タク」と呼ばれるタクシーで、自家用自動車は高嶺の花、黒塗りで扉に家紋をつけたのがステータスシンボルであった。外国製の車が多く、国産の「ダットサン」という小型車が画期的なものであった。

戦争中はガソリンが不足し、木炭を燃料とする木炭自動車が街を走った。戦後アメリカ軍が進駐してきたとき、日本人はジープに、アメリカ人は木炭自動車に驚いた。

沖縄では、一九一六年那覇の商店が宣伝用に自動車を輸入したのが最初らしい。昭和初期から官用車、タクシーも現れた。戦後のアメリカ世《ゆう》では、三権分立の象徴として、行政主席の車が「1」立法院議長が「2」首席判事が「3」のプレートを付け、特別扱いをされた。沖縄の離島では、プレートも取れたオンボロ車が平気で走っていた。

沖縄で目立つ自動車のプレートは、米軍車両の「Y」ナンバー。荒い運転もあるようで、事故に遭うと損害賠償が厄介だから、近づかないほうがいい。もう一つはレンタカーの「わ」ナンバーである。今はこれに「れ」ナンバーが加わった。

レンタルは、家電から電車までいろいろあるが、自動車もその一つ。公共交通の弱い観光地沖縄では、旅先の移動手段として、便利で欠かせないものだ。パックツアーに無料で組み込まれたものもある。ほとんどがきれいな新車だが、すでに二万台を超え、いささか増えすぎた感がある。空港でのレンタカー乗車までの誘導、観光地の駐車場不足、素通りの観光、交通事故などなど。観光地や大型店舗、人の集まるところはどこへ行っても「わ」と「れ」のナンバープレート花盛り。レンタカーは増えても、タクシーは台数の制限を受け、お客が減って可哀そう。地元客も駐車場を奪われて困っている。

最近は、本土からの観光客だけでなく、国際線空路の増便や、クルーズ船の寄港も加わって、外国人がどんどん増えてきた。やがて年間一〇〇〇万人に達するだろう。ところが旅先沖縄での移動手段はほとんどが観光バスで、タクシーともども台数に限りがある。モノレール一本のほか電車はなく、路線バスは系統や路線が複雑で乗りにくい。免許を持っている人はどうしても便利なレンタカーに頼ることになる。ところが、慣れない土地での運転は、いくらカーナビが発達しても、戸惑いや事故の危険が常につきまとう。

一方、車に頼れない観光客も大勢いる。免許のない人、旅先では運転したくない人、自分の足で回りたい人。観光客は、実は移動手段を持たない交通弱者なのである。路面電車のように初めて訪ねる観光客でも安心して乗れる公共交通を充実させる必要がある。レンタカーは、これ以上増やしたくない。

一三　街ま〜い

好きな鉄道で日本の津々浦々を回っていると、いろいろなことを肌で感じる。列車待ち合わせ時間が長いときには街を歩く。旧市街と新市街、駅が街の中心にあるところもあれば、街から離れた場所にあるところもある。駅前の道路を広げ、冷たいビルが建ち並んだために、寂しくなった街も沢山知っている。素通りする車ばかりが目につき、人の歩いていない街は、どんどん寂れて行く。街を元気にするのは車でなく人であると、つくづく思う。車は便利だが、点と点を結ぶだけで、人との触れ合いがない箱の中の閉鎖空間である。運転者は車と信号機だけに目を奪われ、同乗者は景色や風物を感じることなく目的地へ。これでは街も人も見えてこない。

沖縄に来る観光客も、お定まりのツアーでは通り一遍の観光で終わってしまう。観光バス用の駐車場は限られ、地元の人とのふれあいも少ない。初めての人はともかく、リピーターとか、もう少し沖縄を深く感じたいという人には物足りないだろう。レンタカーも、細い小路スージグヮーまでは入れないし、事故の心配や駐車場を含め、行動には限界がある。公共交通がとても不便な土地柄なので、戸惑ってしまう。

最近、個人で地図とガイドブックを片手にキメ細かく歩き回るツアーが生まれた。訪ねた先で地元の人と仲良くなったり、思いもかけぬスポットを見つけたりする。まさに地域の宝発見である。個人の場合、年齢や体力、知識に限りがある。そんな人の要望に応えるため、那覇市の観光協会では、街を細かく回る「街ま〜い」ガイドツアーを始めた。あらかじめ幾つかのコースが用意されており、個人でも格安料金で自由に参加できる。ガイドもよく学習していて、地元の人でさえ知らないような場所も教えてくれる。私も、小禄《おろく》の古道めぐりや、那覇の橋めぐりなどに参加してみたが、説明が判りやすく、それまで知らなかったことを沢山教えられた。鳳凰木《ほうおうぼく》やトックリキワタなどの美しい花にもめぐり合える。

こんな街めぐりを支えるため、全国の都市では、観光スポットをフリー切符で回る街角バスが運行されている。東京下町めぐりをはじめ、横浜の「あかいくつ」、名古屋の「めーぐる」、神戸や秋田など、私もあちこちで利用した。那覇にも「ゆいゆいバス」が運行されたが、すぐに消えた。情けないと思う。

ニューヨークのツアー旅行では、ガイドさんがトークンという地下鉄とバスの共通乗車コインを配り、各自路線バスで美術館を訪ねる経験をさせてくれた。ウィーンでは一日路面電車に乗って市内の観光地を巡るコースが組み込まれていた。団体旅行でも、こんな企画が加わると「一日○○市民」の気分を味わうことができて、とても楽しいのである。那覇の街ま〜いも、ゆいレールをもっと活かせないものか。

一四　風に乗って

天女が舞い、サシバやオオゴマダラが舞う沖縄の空には、凧も舞う。凧のことは詳しくないのだが、ご縁あって何回か琉球新報社主催の全琉凧揚げ大会実行委員長を務めたことがある。場所はキャンプ・キンザーの中や新都心。本土からは奴凧、台湾からも連凧や龍凧などが特別参加して、とても賑わった。

凧は、本土では平安朝のころから流行ったというが、沖縄では程順則《ていじゅんそく》が一七〇〇年に中国から伝えたそうだ。カーブヤーという竹を十文字にして紙を貼っただけの素朴なものがあるが、基本的には真凧《まったくー》という四角い凧で、ほかにもハッカクーとか宮古のカピトゥズなど変り凧もある。凧は風を友としなければ揚がらない。

沖縄の四季は風とともに感じる。にんがちかじまーい(二月風廻り)、まふぇ(真南風)、かーちーべー(夏至風)、台風、みーにし(新北風)と、そよ風から秋風へ。航海も漁業もすべて風まかせ、冊封使も夏の風に乗って来航し、秋の風が吹くころ帰っていった。台風の襲来は宿命だが、これともうまくつき合っている。

ヤンバルクイナは飛べないが、人は飛ぶ鳥を見て空を飛びたくなった。一九〇三年にライト兄弟がその夢を果たしてくれたが、日本でもいろいろな人が挑戦している。有名な二宮忠八は四国の出身で飛行機の研究を続け無人の動力機を飛ばした。人力で初めて空を飛んだ日本人は、一七八五年岡山の表具師浮田幸吉といわれ、市内の旭川で一〇メートル飛んだとの碑がその川端に建っている。これにひけを取らない琉球人がいた。

琉球王朝時代の一七八七年、人力の羽ばたき機を作り、南風原《はえばる》の高津嘉山から飛び降りて成功した飛び安里《あさと》である。越来《ごえく》出身の安里周富、周當、周祥の三代にわたる努力が実った。飛んだのは周當らしいが、周祥との説もある。世間を騒がせたとして捕らえられたが、後に士分に取り立てられた。その装置は大正のころまで残っており、図面をもとに工業高校生が復元したこともある。沖縄芝居にもなり、時々上演される。竹製の飛行機が舞台一杯空を飛ぶ幕切れは圧巻、壮大なスペクタクルである。ライト兄弟より百年以上も前の快挙で、現地には顕彰碑が建ち、ゆいレール県庁前駅舎はその翼をイメージしている。

『むかし沖縄』によると、一九一五年、高左右隆之が自作の飛行機で那覇の潟原から飛び立ったが、電車の架線に引っかかり墜落し、初飛行は失敗に終わったとか。当時、飛行機は落ちるものだったが、第一次世界大戦、太平洋戦争と、皮肉にも戦争が技術を向上させ今日の隆盛となった。ハングライダーや小型機のように、レジャーの世界にまで入り込んでいる。国内屈指の那覇空港の賑わいはどうだろう。それにしても基地の軍用機、オスプレイはよく落ちる。

一五　母の日公演

贈り物にはいろいろある。お中元とお歳暮はその代表で、お菓子や缶詰などを親戚や上司、お世話になった方たちに、感謝の気持ちを込めて贈る。これが接待、おもてなしとなると少し違う。高級クラブや一流料亭での接待になると、政治色、儲け話の色合いが強くなる。代金もポケットマネーで払える額だろうか。公務員の賄賂にもつながっていく。

それに引き換え、家庭内のささやかなプレゼントのやりとりは爽やか。のし袋入りのお年玉、バレンタインのチョコレート、入学祝いのランドセル、敬老の日の肩もみ肩叩き、クリスマスプレゼントは靴下の中に。ドイツのザンクトマーチンの祝いには、子供たちが提灯を下げて家々や商店街を回る。家庭やお店ではキャンデーを用意し子供たちに配っていた。当節のハロウィンと違う静かな夜だった。

五月第二日曜の母の日には、カーネーションを贈る。ところが沖縄には変わった贈り物がある。母の日にお年寄りを沖縄芝居に招待する独特の風習があるのだ。沖縄芝居は、首里の芸人が廃藩置県後仮小屋で芝居を演じたことに始まった大衆娯楽である。せりふはすべて方言ウチナーグチで、歴史ものや人情ものが演じられる。沖縄地上戦後も、住民の捕虜《ほりょ》収容所内の仮設舞台から復興が始まった。組踊や古典舞踊のように肩は凝らないが、常打ち小屋がない。そこで母の日や敬老の日に合わせ、市民会館や公民館のホールに「母の日公演」の幟《のぼり》を立てて上演するのである。客筋も国立劇場おきなわとはひと味違う。

これが大変な人気で大入り満員。予約の出足が鈍い土地柄なのに、この公演ばかりはお年寄りへのプレゼントとして、切符がすぐ売り切れる。自由席なので、当日は早くから並び、壮絶な席取り合戦が展開する。空いているようでも、後から来る家族のために物をおいて席を確保するのだ。私も何度か見物に出かけた。メインの芝居が始まる前には、出演役者が琉舞を二つ三つ踊り、座長の公演挨拶もあって、気分を盛り上げる。人気役者には客席から大きな声援が飛ぶ。大宜見小太郎や真喜志康忠のような名優の演技には感動。本格的な劇場でないのに、舞台、背景が美しく立派で、幕の転換も鮮やかなのには驚かされた。

見物人は結構おしゃれをしてくる。そしておしゃべりが賑やかで、開演中でも隣の私に「いつ沖縄に来たのか」「今のせりふこういう意味なわけさぁ」と話しかけてくる。かまぼこや天ぷら、駄菓子なども持ち込んで楽しんでいるのである。この日ばかりは、飲食禁止とはいかないらしい。隣の人にもすすめるので、私もよくご馳走になった。

芝居がはねれば、ぞろぞろと外に出て、それぞれマイカーに乗り込み、子供の運転でおきなわん大衆食堂にでも向かう。おそらく家族それぞれおいしいものを注文し、夜おそくまで盛り上がるのだろう。

一六　安全ダイビング

ＮＨＫ朝のドラマ「あまちゃん」で、海女《あま》が急に見直されてきた。海女は日本独特の女性職業で、対馬、伊勢、房総などが有名。ボンベなしの素潜りで海底のアワビ、サザエなどを採集する。海女の島石川県舳倉《へくら》島に渡ったことがあるが、二〇メートルを越える深さにまで潜り、苦しくなると合図して綱を引いてもらい浮上する。綱を引くのは夫か親族、命がけの作業である。男よりも体温と耐久力にすぐれているという。昨今はスポーツダイビングも盛んで、水中息止め7分以上の記録を持つ女性選手も出てきた。

男の潜り手は海士《あま》といい、沖縄、奄美などに見られる。追い込み漁を支えたのは水中眼鏡ミーカガンで、糸満の玉城保太郎が明治時代に発明した。これが今のゴーグルの元である。素潜りは息に限りがあるので、長い作業には潜水道具が必要だ。

昔から重いヘルメット潜水が行なわれ、今でも沈没船の引き上げや海中土木工事などに使われている。エアホースを口にくわえ送気して潜る簡易潜水機は、沖縄のもずく漁に欠かせない。空気ボンベを背負って自由に水中を動き回れるスキューバダイビングの発明は画期的で、今では気軽に誰でもスポーツとして潜りを楽しめるようになった。

沖縄のサンゴ礁の海は美しい。観光客も青い海にあこがれてやってくる。有名ビーチや人工ビーチでは無理だが、少し沖に出るとか、離島や僻地の海はまだまだ美しい。水中メガネをつけて海の中を覗くだけで、色とりどりの熱帯魚が群れ遊ぶ姿が見られる。ダイビングショップも増え「泳げなくても潜れます」と宣伝し、エアボンベを背負ってのスキューバ体験ダイビングや、メガネと足ひれ、シュノーケルという簡易呼吸棒の三点セットを貸し出して、シュノーケリングをすすめ、海に慣れない人たちをいきなり海中へと誘っている。これが沖縄観光の大きな魅力の一つになっている。

でも海の事故が多く、毎年のように犠牲者が出る。スキューバダイビングは本格的な訓練をした上で取り組むもので、体験では業者も慎重になるからまだ心配は少ない。むしろ気軽に楽しめるシュノーケルが恐ろしいのだ。水中でも息ができると錯覚したり、棒に溜まった海水を吸い込んだりしてパニックになったりする。簡単なようでもコツが要る。

タコ取りの名人が「シュノーケルは潜り慣れた人が使うもので、素人はやめたほうがいい」と言っていた。昔はこんなものはなく、みんなメガネ一つで息を止めて潜ったものだ。私も名人に言われ、シュノーケルは使ったことがない。メガネと渓流釣り用の磯タビを履くだけで足ひれも使わず、沖縄の海を存分に楽しんだ。苦しくなったら顔を上げればすぐ息ができる。こんな素朴な潜り方が実は一番安全なのである。ミーカガン発明の地ではないか。溺れたくなかったらメガネだけにしたら。

一七　橋を架ける

四国祖谷渓《いやだに》にかかるかずら橋は、木の蔓《つる》を利用して作った吊り橋で、渡るのも怖い。静岡島田の鳳来橋は大井川に架かる人が渡るための長い木橋で、私も一度渡ったことがある。木橋は甲斐の猿橋や岩国の錦帯橋のような立派なものもある。東京隅田川の勝鬨橋、四万十川の沈下橋なども変わった橋のお仲間だ。鉄道橋では、瀬戸大橋や、もう廃線になった筑後川昇開橋などが思い浮かぶ。

大河のない沖縄だが、橋への思い入れは深い。平安座島《へんざ》へはサンゴ礁の浅い海を引き潮のときに歩いて渡った。芸術祭優秀賞に輝いた北島角子の名演技「島口説《しまくどうち》」の舞台も、今は海中道路が結んでいる。那覇でも、一八八三年(明治一六)明治橋という木橋が作られ、また多くの石橋も作られた。泉崎橋、真玉橋《まだんばし》、泊高矼《とまりたかはし》などは名橋といわれた。恩納《おんな》の山田矼《はし》、嘉手納の比謝橋《ひじゃ》はよく知られるが、宮古島にも池田矼という石橋が残っている。

戦後沖縄からの留学生が氷川丸でサンフランシスコに着いたとき、ゴールデンゲイトブリッジを見て感激し、グループ名を「金門クラブ」にしたという。ドレスデンでは街の美観を損ねる橋を架けたため世界遺産の登録を取り消された。広島鞆の浦では、住民の反対で景観を損ねる架橋をやめ迂回道路にした。漫湖に架かるとよみ大橋はマングローブの上をまたぐ珍しい橋、国場川の北明治橋は車が通れない歩行者専用の橋。古波蔵、安里などの陸橋や、与儀十字路、松山など各地の歩道橋は、車社会の産物である。

沖縄には、玉城《たまぐすく》奥武《おう》島、瀬長島、藪地島、久米奥武島、伊平屋の野甫島など、海を渡る橋が多い。台風や医療などの島ちゃび解消のため続々と橋が架かった。一九六三年に架けられた塩屋大橋は復帰前の風景を代表するものだった。屋我地大橋は一九六〇年のチリ津波で破壊された。こんな遠いところまで津波が来るのだ。平安座島からは、イチハナリと呼ばれた離島の伊計島や、浜比嘉島にも橋が架かった。古宇利島に渡る橋から見下ろす景観は見事だが、この神の島も今や観光地となってしまった。また宮古島では、青い海が絶景の池間、来間大橋のほか、サンゴシオウと覚えるといいという三五四〇メートルの長さを誇る伊良部大橋を渡れば、伊良部、下地島まで車で行けるようになった。ひと昔前それぞれの島に小船で渡ったときのことを思い出す。

橋は島の発展、人口の流失防止に役立つといって作るが、実際にはかえって若者が街に出てしまい、過疎が進む傾向にある。信仰の島は荒らされ、風が強いときはやっぱり渡れない。それまた島外から車や人が流れ込み「橋をかけると鍵もかけるわけ」との嘆きも聞こえる。それでも橋は欲しい。万国津梁は架け橋のことでもあるのかな。

一八　キャンセル

住みやすい沖縄も、台風だけは何ともならない。フィリピン近くに熱帯性低気圧が発生すると間もなく台風に変わる。先島を狙うか本島に来るか、気象情報とにらめっこ。もし来そうだと一切のスケジュールが早めに延期か中止となるのだ。その決断が実に早い。予約も早々と取り消し、キャンセルとなる。何しろ出来立ての台風だから、勢いが半端でない。長時間吹き荒れる滞在型もある。風速二五メートル以上の暴風になると、バスやゆいレールは運転休止、役所や学校も休みか開店休業。じっと台風の通過を待つ。そのかわり、台風がそれて当日が天気になっても、誰も文句は言わない。

そんな台風の多い風土のせいか、沖縄の人は、暮らしの中でも一般に予約とかキャンセルに大らかである。慣れているとでも言おうか、よく気軽にキャンセルをする。キャンセルは、一旦決まった契約や予約を一方的に取り消すもので、相手に損害を与えることが多いから、本来は簡単にやれることではない。取り消しは合意すれば別だが、身内の不幸とか、急病発熱とか、ちゃんとした理由が必要だろう。台風によるキャンセルは、相手も仕方ないとあきらめる。ホテルなんかは、台風の影響で客が来なくなるが、逆に帰れないで泊まる客もあるのではないか。

航空券や旅行社などは、取り消しに備え予めキャンセル料を取り決めている。これを払うことによって、キャンセルを認めようというものだ。早いうちは無料、日が近づくにつれて高くなる、といった知恵や工夫をしている。指定券類が満席でも、取り消し料が有料になる直前にキャンセルが出るので、それを狙ってゲットする裏ワザもある。しかし、暮らしの中では、キャンセル料を決めたりしないことが多い。レストランや食堂では、仕入れた食材が全部無駄になる。大イベントはもちろん、小さい集会などの取りやめでも、影響するところが実に多いのだ。キャンセル料でもカバーできないことがある。早くからイベントの延期や中止を決めるのは、トラブルを避け、被害を最小限度にするための知恵でもあり、また効果もある。

講師、出演者などは、社会的責任があるから、少々のカゼくらいでは休めない。参加者のほうは都合で休めるが、これもキャンセルの一種である。沖縄では、わりと暮らしの中で、簡単にキャンセルすることが多い。食事会、女子会など、出席の返事を出しながらの欠席、ことに直前の土壇場になってからのキャンセル「どたキャン」は迷惑千万で、本来許されることではない。世話係の身にもなってみよう。

軽い気持ちでのキャンセルはしないこと。知らず知らずのうちに、自分が信用を失っていくのだから。

一九　ミュージアム

同じ種類のものを一〇集めるとコレクションになるという。美術、骨董品の収集が一番多いが、そのほか何でもいい。コレクションを、なるべく多くの人に見せたいと思えば展示が必要になる。その公開を専門にするのが博物館である。昨今は時計、玩具、人形、秤、紙、ラーメンやカレーの博物館までできた。

ストックホルムには「ヴァーサ号博物館」があり、新造の軍艦が進水直後沈没し、三三三年後に引き揚げられたのをそのまま博物館にしている珍しいものだ。ベルリンのペルガモン博物館は、古代建築遺跡をそのまますっぽりと包み込んでいる。故宮、ルーブル、メトロポリタン、大英博物館など、世界の著名ミュージアムの中には、公共性から入場無料とか、非常に安くしているところもある。フィレンツェは街全体が美術館のよう。日本でも長崎の「出島」は、復元したものが博物館みたいになっている。

美術工芸品を展示する美術館と博物館の区別も難しい。ミュージアムとギャラリーは似たような面もある。那覇新都心の「沖縄県立博物館・美術館」は、沖縄の城《グスク》を象った建物だが、建物の左が博物館、右が美術館となっていて、まさにミュージアムにふさわしい。沖縄戦で全てを失った土地柄を考えると、なかなか良く出来ていると思う。ただ、毎年県内美術工芸のハイレベルな作品で賑わう「沖展」の会場が体育館なのが残念だ。

私が沖縄戦の悲劇を初めて知ったのは海軍壕の資料館で、「県民カク戦ヘリ。後世特別ノ御高配を賜ランコトヲ」の電文に身が震えた。その後、ひめゆり資料館や摩文仁の平和祈念資料館、石川民俗資料館、沖縄の戦後史が豊富な胡屋の「ヒストリート」からも学ぶことが多かった。佐喜真美術館は基地の一角を取り返して作った私立の美術館、読谷村立博物館は、小さな村立とは思えないほど充実した内容と、入場料の安さに驚いた。

窯跡を包み込んだ壺屋焼物博物館や、国宝の琉球国王玉冠《たまのうかんむり》を所蔵する那覇市立博物館、首里城内の歴史展示館、建物が面白い浦添市美術館、琉球新報社内の新聞博物館、貴重なラクタを集めた名護親川の民俗資料博物館、ゆいレール展示館なども見落とせない。本部町琉宮城蝶々園では、オオゴマダラの金色に輝くさなぎを見ることができる。宮古島のドイツ村、貝コレクションの海宝館、竹富島や与那国島の資料蒐集館なども訪ねて見る価値がある。

学校の資料室や、文化祭の展示も、通りがかりにちょっと覗いてみると、思わぬ収穫がある。首里高校染織科卒業作品展では、高校生とは思えぬほど水準の高い紅型作品にふれて驚いた。

沖縄県鉄道ケイビンの復元与那原駅舎が鉄道資料展示室として公開されている。沖縄にまた一つ、魅力ある小さなミュージアムが誕生した。

二〇　タコライス

北海道の有名駅弁にJR森駅のいかめしがある。昔は捨てていた小ぶりのイカにお米を詰めて煮たもので、二個入り。ちょうど一口で噛み切れる大きさがいい。隠岐の島で食べた、はらわたも丸ごと焼いたイカポッポ焼きは絶品だった。函館、呼子などで食べられるイカそうめんは、ピクピク動くほどの新鮮さだ。炊き込みご飯もおいしい。沖縄でもせーいか、くぶしみなどよく食べられる。琉球料理の花イカは、赤く美しく飾られる。

タコもおいしい食材だ。明石の名物「たこめし」は炊き込みご飯。この辺り瀬戸内海のタコの漁法は、たこ壺を沈め、引き上げた壺の中に入ったタコをつかみだす。強く引いて抵抗するが、放っておくと自然に出てくるそうだ。神戸の駅弁屋さんが考案した「ひっぱりだこ」は、タコ壺型の容器にたこ飯やたこが入った駅弁で、ネーミングが良い。ソースを塗った大阪のタコ焼きは有名だが、明石のたこ焼きは卵焼きといい、大きくふわりとしていて、出し汁につけて食べる。沖縄の海でタコ採り名人の壮絶な漁法を見たことがある。タコの穴は誰にも教えない財産権の一つで、素潜りでつかんでくるのだ。

ところで沖縄にはタコライスがある。宮古島狩俣で食べられるたこめしと違い、タコは入っていない。何とタコスの中味をご飯の上にかけたものである。食材が乏しかった戦後に基地の街金武《きん》町で生まれたものだ。アメリカ軍人や兵士が、お腹をすかせて店に入ってきたとき、おなかが一杯になるよう工夫されたものだという。挽肉の味付けミートが中心で、野菜はトッピングとして使われた。今では、挽肉のほか、トマト、レタス、チーズ、卵焼きの千切りなどがのる。戦後沖縄で生まれた独特の県民食で、最高傑作だろう。

このタコライス、お皿に盛った白いご飯に、茶、緑、赤、黄色と、色の取り合わせがきれいで、ほどよい辛みがあり、南国の風土によくマッチしているのだ。おきなわん食堂では、沖縄すば、カレーライスと並ぶ定番料理となっている。観光客にも人気で、今や全国にも広まりつつある。味付けした挽肉を袋に入れ、箱詰めにしたタコライスのレトルト食品まで出回っている。タコライスを食べるのには、お箸でなく、スプーンが一番いい。これでライスと具をよくかき混ぜて口に運ぶ。タコライスにタコスを添えたセットもあるくらいだ。飲み物としてはコーラがよく合う。

カレーライスは、日本海軍のメニューが発祥とされ、昔はライスカレーといった。福神漬けと小粒のらっきょうが添えられる。とんかつ、ハンバーグなどさまざまなトッピングや、高級感あふれるものまである。おきなわん食堂では、今でも昔の黄色いドロドロしたライスカレーを食べられる。私が子供のころ、母が作ってくれたのもこんな味だった。この黄色いカレーとタコライス、懐かしさを感じるから不思議。

二　正月はいくつ

「もういくつ寝るとお正月」と、子供のころは、本当に指折り数えて正月を待ったものだ。でもこの歌のことでなく、沖縄にはいくつもの正月がある。

本土の正月は新暦が当たり前。沖縄でも一般的には新暦でやるが、昔は旧歴で祝った。復帰前の琉球政府が新正月を奨励、推進してから、急速に新正月が広まったという。赴任者や移住者は本土風に、お屠蘇、おせち料理、お雑煮で祝うが、沖縄ではおせちや雑煮でなく、「なかみ」の吸い物をいただく。豚の内臓を洗い手間をかけて軟らかくしたものだ。最近は本土風になり、おせち料理セットや、沖縄天ぷら、昆布巻き、豚の三枚肉などを銀紙皿に盛り合わせた「オードブル」を求めて祝う家も増えてきた。

旧暦一月一日の旧正月は「そうぐゎち」と呼ばれる。漁業の街、糸満をはじめ宮古島など、県内各地にまだまだしっかりと息づいている。昔は豚一頭をつぶしてお祝いのご馳走を作ったものだった。旧正元日の朝は、若水を汲み、台所の火ヌ神《ひぬかん》に供え、初御願《はちうがん》をしてからご馳走をいただく。旧正は旧盆と並ぶ大事な行事で、どちらも月遅れでなく、本当の旧暦で行うから、毎年日にちが違う。隣の台湾や中国の春節と重なるので、この時期は国際通りや観光地は多くの外国人旅行者で賑わう。ただ公設市場をはじめ、休むお店も多いので、「旧正《きゅうしょう》」を知らない本土の観光客は戸惑っている。

さてここからが沖縄独特の正月だ。旧暦の一月一六日に行われるのは、後生正月《ぐそーそーぐゎち》で、「ジュウルクニチー」とも呼ばれるご先祖さまのお正月である。餅や豚肉、かまぼこなどのご馳走を重箱にきれいに並べて詰め、家族そろってお墓参りをする。歌、三線《さんしん》も賑やかに、ご先祖さまとともに正月を祝い、楽しむまつりなのだ。

まだある。旧暦の一月二〇日は二十日正月《はちかそーぐゎち》。祝い納めの正月で、那覇の辻《ちーじ》の街一帯では「ジュリ馬」が練り歩く。紫のはちまきをし、黄色と赤の美しい紅型衣装に身をまとい、辻遊郭の遊女に扮した美女たちが、年に一回街に出て、健在なことを見せるデモンストレーションでもある。板で作った馬の首をおなかにつけ、シャンシャン鈴を鳴らし、三線速弾きのリズムに乗って踊る姿は何とも可愛らしい。辻の昔を偲ばせてくれる。

奄美や琉球では、旧盆とは別に、旧歴の七、八月に行われる「節《せち》」の祝いのことを「夏正月」と呼んだと聞いたことがある。確認はできていないがありそうな話だ。もしそうだとすれば、これも南島らしい正月だろう。

最後にもう一つ。沖縄が戦後アメリカに統治され、アメリカ世《ゆう》と呼ばれていたころ、クリスマスのことを「アメリカ正月」といっていた。何ともウチナーンチュらしいネーミングではないか。

二二　和そば

主食にお米を食べる文化がある。古くは赤米から、雑穀、五穀米、餅米。玄米から五分搗き、七分搗《づ》き、精米、白米。炊き込み、雑炊、お粥といろいろだ。粉を主食にする文化はパンが中心で、ピッツァ、ナンなどがあるが、粉を麺にする文化もある。パスタ、中華ソバ、フォーなどのほか、日本人は、うどん、そば、きしめん、冷や麦、そうめんなどをよく食べる。とくにうどんとそばが大好きだ。江戸時代から庶民のファストフードとして親しまれてきたが、私も自分で打つほどのそば好きである。

蕎麦の実をひいた蕎麦粉を使うのがそば。東北のはっとそばのように平たくしたり、そばがきのように熱湯でこねるものもあるが、多くはそば切りといって、細く切り麺にして食べる。蕎麦粉は地粉という地元産の良いものを使い、挽き方や小麦粉の混ぜ方にも工夫があり、更科《さらしな》系、藪系とか、十割、二八とかに分かれ、それぞれ味が違ってくる。香り、のどごし、口当たり、薬味などを楽しむのが通《つう》といわれる。熱いかけそばもいいが、冷たいもり、ざるそばをツユにつけてすすり込むのを好む人が多いようだ。

福島、長野など、そばどころのほか、北海道の駅そば、岩手のわんこそば、秋田の冷やかけそば、山形の板そば、栃木の一升ぶち、新潟のへぎそば、福井のおろしそば、兵庫の皿そば、出雲の割子そばなど、それぞれに特色があり、味を極めるのは容易でない。

蕎麦粉を全く使わない沖縄そば全盛の沖縄では、本土のそばが入り込む余地が全くなかった。私が赴任したころは那覇に美濃作という蕎麦屋が一軒だけ、あとは石垣空港食堂の駅そばぐらいだった。冷たいそばをツユにつけ、すすって食べる習慣がないからである。沖縄そばは夏でも熱い汁に入り、立ち食いはしない。そこに最近本土の蕎麦が急速に入ってきた。沖縄そばと区別するために、日本そばとかヤマトそば、和そばなどと呼ばれる。当初はいまいちだったが、そば好きの赴任者や移住者、リターン組が増え、本土で修業した職人が手打ちそばを出したり、打ったそばを冷凍で空路取り寄せたりするので、おいしい和そばが食べられるようになった。今や和そばファンは増えつつあるようだ。

大宜味村や宮古島では、白い花をつけた蕎麦畑が見られ、沖縄産の蕎麦粉で打った和そばが食べられる。大宜味村のものは道の駅や江洲の店で、また宮古島にはいい和そば屋もできた。那覇でも県産蕎麦粉を一部の店で使っている。

今も久茂地で健在の美濃作が出すもりそば風の冷たい創作「月桃《げっとう》そば」は逸品。また沖縄そばをもり蕎麦風に冷たいツユにつけて食べさせる店も増えてきた。もずくをもりそば風に盛り、ツユをつけて食べる方法もある。異文化である和そばは、こんな形で沖縄そば全盛の土地に広がりつつある。

二三　復元工事

歴史的な建物が、火事で焼けたり、地震や戦火などで壊れたりすることがある。海外では石やレンガ造りの建物が多いが、日本は基本的に木造で、紙と土を使っているので、焼失や崩壊しやすい。洋の東西を問わず、これを復元しようというのは、自然の気持ちの表れだろう。ヨーロッパでは、戦争で破壊された街全体を復元させている所もある。ドレスデンのフラウエン教会は、戦禍に遭ったレンガを出来るだけ使い、元通りに見事に復元させた。伝統ある古き良きものを大事にする思いが伝わってくる。

日本でも、古くは吉野ヶ里や登呂遺跡。あの法隆寺も再建されたものだという。奈良東大寺大仏殿も天平、鎌倉、江戸時代に再建を重ねている。お城も復元ものが多く、本物は姫路、弘前《ひろさき》、犬山、彦根、備中松山など数は少ない。江戸最古の劇場「金比羅大芝居《こんぴらおおしばい》」は、朽ち果てていた「金丸座《かなまる》」を修復移築して活かした。

東京駅はドームを二つもつ三階建て赤煉瓦造りだったが、戦後焼け残った外壁を使いドームのない二階建て駅舎として使用してきたが、このほどこれが竣工当時のままの姿に復元した。

沖縄では、激しい地上戦のため、国宝を含む古い建物全てが焼き尽くされた。石造りの玉《たま》陵《うどぅん》や園比屋武御嶽《すぬひゃんうたき》などは補修できたが、円覚寺や崇元寺などは焼失したままである。

そんな中で、首里城の復元は本土復帰二〇年を記念する国の一大事業であった。赤瓦屋根の工事中を見学したことがある。設計図や写真などの資料も少なく、中国に残る文献や古い絵図、古老の話なども手がかりにした。朱の色も正確には判らず苦労したという。一九九二年に完成し、琉球王国を偲ぶシンボルになっている。浦添ようどれの修復復元も大事業で、これは二〇〇二年に完成。工事中、王の陵墓の見学会でお墓の中に入り、古い石厨子を目の当たりにしたことがある。本土の御陵では考えられないことだろう。

戦後、琉球政府立法院棟の復元も検討されたが、これは実現しなかった。久茂地公民館や那覇市民会館の修復保存も検討しているが、難しいようだ。惜しい建物の修理保存は、言うにやさしいが、莫大な維持経費がかかり、管理するには容易でない。

戦前の沖縄県鉄道ケイビン与那原駅舎の復元はヒットであった。戦火で破壊されたのを、戦前の駅舎そのままに復元させたのである。「與那原驛《えき》」と左書きにし、旧駅舎の柱の残がいも残している。昭和天皇皇太子時代の乗車記念碑も建てられた。線路のないところに駅舎だけ復元したのは、東京汐留の旧新橋駅舎復元に匹敵する快挙だ。

この駅舎は那覇から与那原に新ケイビン、つまり現代型路面電車を走らせたいとの町民の強い願いが込められている。実現を期待したい。

なお名護ネオパークには、ケイビン機関車を小型に復元した列車が走っている。

飛び安里、ここで飛ぶ。南風原町高津嘉山の飛び安里顕彰碑〈14 風に乗って〉

ケイビン鉄道のおもかげ。沖縄県鉄道与那原駅復元駅舎〈23 復元工事〉

二四　琉装のすすめ

宮中行事の新年宴会に参列したことがある。天皇ご一家は正装で勲章もつけられる。男子の参列者はモーニングやタキシード姿だが、一番改まったときの正装は燕尾服、女性はローブデコルテか留め袖の和装、海外の正式民族衣装とされる。沖縄から参列した当時の大田知事夫人も、美しい紅型の和服仕立てだったが、琉装ではなかった。

沖縄でも、成人式、卒業式、結婚と、以前より琉装は増えたがまだまだ少ない。私が七年勤めた沖縄キリスト教短大でも、卒業式に琉装姿を見たのは、毎年僅か数人程度であった。七夕祭りとかの催しに、浴衣は着てくるのに、琉球かすりを着た学生さんは一人もいなかった。これだけ染織の盛んな沖縄で、どうして琉装が少ないのだろう。見られるのは琉舞や芝居、演芸の世界だけである。琉装は高くて、というが、和装だって高価なものだ。本土や海外からの観光客の憧れでもあるのに、正式の場や街で見かけることは少ない。

琉装にもっと誇りをもとう。女性を堂々と見せるし、美しく品格もある。正式の場でもどんどん着たらいい。かすりも風土に合った普段着として着て欲しい。

紅型は色鮮やかで、亜熱帯の太陽に負けない美しさがある。昔は身分の高い人しか着られなかったそうだが、今ではそんなことはない。首里織を含む染織はすばらしいが、それを実際に着て、現代の暮らしに活かすことも大事だろう。

花織は星みたいな模様が可愛い。読谷、首里、知花、与那国などで織られており、庶民が着ることもできた。久米島つむぎはおしゃれ着として大事にされる。黒い色調の宮古上布《じょうふ》、白い八重山上布もまた涼しげである。多良間島の八月踊りの見物に、年に一度のおしゃれをして見物する上布姿のお年寄りを見て感動した。

芭蕉布《ばさー》は途絶えかかったのを平良敏子さんが復活させた。今では高価でなかなか手が出ない。南風原で織られる琉球かすりも、水の流れや、鳥のトゥイグヮーなどのデザインがいい。沖縄県令を勤めた上杉茂憲《もちのり》公が帰任のとき米沢に持ち帰ったかすりは、今も「米琉《よねりゅう》」として息づいている。みんさー織り、砂糖きびのうーじ染めなどもある。もっともっと普段着や日常に琉装を取り入れて欲しいものだ。

私も一度琉装をしたことがある。首里城祭の一日国王を務めたとき、中国で作られた国王衣装を着け、御轎《うちゅう》という乗り物で街なかを行列した。王妃は別の御轎で後からくるので一緒に乗れなかった。沿道の歓迎に応え手を振ったりしたから、軽いと見られた向きもあるが、庶民を御万人《うまんちゅ》と呼んで敬い、御万人からも御主加那志前《うすがなしーめ》と崇め慕われた歴代国王の中には、こんな人物もいたに違いない。

二五　駐車場

識名園の池の畔に舟着き場がある。舟や船は、係留のための桟橋や埠頭、クルーズバースなどが必要だ。丹後の伊根には、舟のガレージ舟屋という珍しい建物がある。ヨットハーバーやレジャーボートもこの節は満杯だ。牛や馬には厩舎や牛小屋のほか、つなぎ石も必要だった。汽車、電車には引き込み線、車庫、車両基地がある。航空機はエアポートに格納庫と、どれも必要不可欠の施設である。

自動車も、車庫や駐車場が必要である。自宅に車庫を造ったり、野天の駐車スペースを確保することから始まるが、沖縄では、大抵車庫を一階に造り、住まいは階段を登ることになっている。その余裕さえないときは、近くの月極め有料駐車場まで歩いて行かなければならない。外出すると、車をどこに止め置くかが常に問題となる。郊外や農村地帯ならともかく、住宅密集地や都心部の商店街では、一般に路上駐車は禁止され、空いた駐車場を見つけるのが一苦労だ。観光地、イベント会場、スーパーなどでも同じで、駐車場スペースをどう確保するかが、沖縄の車社会での大きな課題となっている。

今や都心では、空き地さえあれば有料駐車場として立派な商売になるのだ。ビルの建て替えで壊したあと、次のが建つまで駐車場にして一稼ぎ、というのも多い。一方で、ゆいレールの駅に駐車場がないとか、都心の駐車料金が高い、という苦情を聞く。もともと駅まで歩く発想や、駅で車を乗り換えるという生活習慣のない沖縄では無理なこと。都心の貴重な土地を使うことを考えれば、駐車料金が高いのも止むを得ないではないか。

車一台につき駐車スペースはかなり広くとる。狭いとドアも開かない。自宅のほか、勤め先や仕事先でも駐車しなくてはならないから、一台に二ヶ所以上は必ず必要である。しかもその間一つは空いたままになる。何ともったいないことか。こんな不経済な土地の使い方をしているのだ。まさに駐車場という名の空き地である。かといって地下駐車場を造るのには莫大な経費がかかる。一〇〇台収容する駐車場建設費用が一台当たりいくらになるか計算して欲しい。公共施設に造る場合はみんなの税金が使われる。沖縄県内一一五万台以上の車のための駐車場を、全部合わせるとどれだけの広さが必要か。沖縄の狭い貴重な土地が、駐車場のために奪われているのである。

ゆいレールから那覇の街を眺めると、あちこちに駐車場が多いのに驚く。大事な商業地域にこの空き地、まるで骨粗鬆症《こつそしょうしょう》のようだ。渋滞による動脈硬化、排気ガスによる呼吸不全、健康といえるだろうか。駐車場内の転落、子供の事故、車止めの凹凸につまずく骨折などなど。都心の駐車場を少しでも減らしたい。そのためには、路面電車やバスなどの公共交通を充実させるほかない。

二六　シーサー百態

四月三日はシーサーの日。三月四日の三線《さんしん》の日に続く語呂合わせだが、あまり意味はない。シーサーとサーを下げないで発音する。友人のタケシーサーこと松下武さんは『シーサーと脳梗塞』という本を出した。シーサー好きの著者が沖縄に移住、二度の脳梗塞を乗り越えて回復し、明るく過ごす中で書いた川柳的エッセイ集で、ジュンク堂の週間ベストワンに選ばれた。続いて出したシーサー撮り歩きの写真集も見応えがある。

全国にはカッパ、狐、狸、金魚、こけし、牛馬、えびすなど、マスコット化されたものは多いが、全県的に愛されているのは、沖縄独特のシーサーだろう。権威の象徴ライオンに似た架空の動物で、遙かエジプトから中近東、シルクロードを通って中国に伝わり、唐獅子となり、海を渡って沖縄に来たとされる。朝鮮半島を経由して本土に入ったのは狛犬となった。飛騨下呂の狛犬博物館や、おきなわワールドの歴史博物館で、そのルーツを知ることができる。シーサーを眺めていると、背後にスフィンクスまで見えてくる。

古い石彫りの素朴な村獅子は集落の入口にあり、火伏せや疫病除け。屋根獅子は瓦職人が屋根を葺き終えた後、手慰みで造ったもので、形状と顔が面白い。コンクリヤーの平屋建てになってからは門柱に置かれ、男女ペアのシーサーが阿《あ》、吽《うん》をあらわすようになる。素焼きの荒焼きから、釉薬《ゆうやく》をかけて焼いた上焼きのものまであり、今では美術工芸品にまでなった。顔だけの面シーサーや、遊び心あふれた土産品もある。私の東京宅琉球石灰岩の門柱にも、故高江洲育男さん作のペアシーサーを置いている。

ゆいレール牧志駅前には安里大獅子《あさとうふじし》が建っている。壺屋の入口に兄弟分の大獅子がいて、ボタンを押すとウチナーグチで案内をしてくれる。シーサーに似たウチナーンチュは、街のどこにでも歩いている。民家やマンションだけでなく、パレット久茂地一帯にも、県庁、市役所、デパートをはじめ、あちこちのビルに名作シーサーが置かれているから、これを巡るだけでも楽しい街ま～いができるのだ。

県議会棟のそばに、愛のシーサーがぐるぐる回っている。親子三匹、いずれも名人の作だ。沖縄の検事正だった小林永和《ひさと》さんらが音頭をとり、青少年育成を願って建てたモニュメントだ。私はこれを取り上げ、日本経済新聞連載のエッセイに書いたところ、デスクから「獅子なら三頭ではないか」と問い合わせてきた。考えたこともなかったので、博物館のほか大学、観光センター、土産店まで調べてみたが、はっきりしない。一匹のほか、一頭、一体、一個、一基、一点、一対、一組などいろいろな数え方がある。中国に詳しい先生は、大陸では一个《か》という、と教えてくれた。可愛い親子のシーサーなので、エッセイはやはり三匹のままにした。

二七　ペリー提督

昔小さな島であった那覇は水が乏しく、対岸垣花の落平《うてぃんだ》の水を汲み、舟で運んで利用したという。その近くには山下洞人の遺跡がある。三万二千年前の子供の人骨が発見された場所だ。一万六千年前の港川人の骨ほど完全な形ではないが、日本最古のものとされていたこともある。この辺り一帯山下町は、戦後ペリー区と呼ばれていた。戦後アメリカ軍が、日本の武将として恐れた山下奉文の名を嫌い、ペリー提督の名をつけたのだという。今でも保育園や美容院などにペリーという名前の店が残っている。

　幕末の日本に、ペリー提督率いる黒船が来航して大騒ぎとなり、結局一八五四年に日米和親条約が結ばれて開国する。歴史で学んだのはそれだけで、黒船艦隊がその前後五回も那覇に立ち寄り、琉球国を拠点に幕府との交渉に臨んだことは、本土ではほとんど知られていない。ペリーは日本との交渉に失敗したら琉球を的にしようと考えていたから、威圧的な態度で国王に会わせろと迫り、軍隊を引き連れて強引に首里城に入り接待まで受けたが、国王にはついに会えなかった。その陰には、したたかで有能な外交通訳官で、大国の代表ペリー相手に堂々と振る舞い一歩も引かなかった牧志朝忠の存在があったという。

日本開国に成功したペリーは、その後、琉球国とも琉米修好条約を結んでいる。締結した場所は、那覇若狭にあった琉球王府公館の村学校所で、その跡には今も案内板がある。条約の原本は外務省にあるが、県立博物館にレプリカが展示してある。ペリーは満足して帰国し、条約は米国でも批准された。当時アメリカは琉球を独立国として認めていたわけ。ただし、条約原本に押された印は、琉球王府が使っていた正規の外交印でなく、署名役人の肩書きも架空の役職だったという。やがて明治維新、廃藩置県、そして琉球処分による王国の滅亡へと、沖縄の歴史は大きな渦の中に巻き込まれていく。

ペリーが那覇に滞在中、酒に酔った水兵が婦女暴行などの悪事を働き、沖縄住民が殺したとされる事件があったが、裁判は替え玉で行われ、離島送りの刑で終わらせてしまったらしい。ペリー歓待の宴席で出された料理も、冊封使をもてなす最高級の料理ではなく、一段下のものだったという。招かれざる客ではあるが、そこそこ丁重にもてなし、早くお引き取りを願おうという、ウチナーンチュのしたたかさを物語るエピソードではないか。幕末に展開された、大国アメリカと小国琉球との駆け引きは、火花をちらすほどのものだった。

那覇泊の外人墓地には、ペリー提督が初めて琉球に上陸した一八五三年六月六日を記念した上陸記念碑が建っている。その近く、「とまりん」の緑地には、一八一六年に来航し、著書『朝鮮・琉球航海記』で琉球を褒め称えヨーロッパに紹介した英国海軍艦長バジル・ホールの記念碑もあるから、これも忘れずに。

二八　だからよ〜

今はもう姿を消した各駅停車の長距離列車に乗ると、言葉がどんどん変わってくるのが面白かった。狭い日本でも方言は多い。秋田に赴任したとき、引っ越しの手伝いに来て下さった方の言葉が全く聞き取れず、困ったことを思い出す。

沖縄の言葉は、方言の域をはるかに越えるもので、方言論争や方言札、戦時中のスパイ扱いなど、話題は多い。東北弁、関西弁、九州弁など、戦前戦後にかけて禁止されたことはなかったのに、何で沖縄だけがと思う。今は「島くとぅば」に誇りをもち、堂々と話せるようになったのは何よりだ。ヨーロッパの国では戦争で占領のたびに学校で自国語を話せなくなる悲しい物語があった。言葉は強制するものでなく、自然にまかせるのが一番いい。標準語は東京辺りの言葉というが、東京下町では、日比谷も渋谷もシビヤ、潮干狩りをヒヨシガリというくらいだから、威張れたものではない。

沖縄語といっても、首里と那覇、若狭、泊、小禄や北谷、名護、ヤンバル、宮古、八重山とでは全く違う。ふぁ、ふぃ、どぅなどの発音や、かきくきく(かきくけこ)、たちちてと(たちつてと)とか、面喰らうことが多い。月がチチ、人間がニンジン、心がククルになる。これを心得るとかなり理解できるが、無蔵《ンゾ》、里前《サトゥメ》、ヰ《イ》キガ(男)、ヰ《イ》ナグ(女)は難しい。王府女性最高位の聞得《きこえ》大君《おおきみ》がチフィジン、こうなるともうお手上げだ。沖縄芝居のせりふが、いい勉強になった。「ぬちどぅたから」は命こそ宝、「いちゃりばちょーでー」は一度逢えばお互い兄弟、「なんくるないさー」は頑張ればいつか何とかなる、という意味。国王でさえ一般庶民のことを御万人(うまんちゅ)と御の字をつけて敬った。御万人は、今でも暮らしの中でよく使われている。どれも私の大好きな言葉である。

よく使われる言葉に「だからよ〜」というのがある。「だっからよ〜」と「だ」に力を込めて発音するとより効果的だ。本土でいう「でしょ」「そうなんだよ〜」「それがね〜」に近いが、ニュアンスが全く違う。相手の言葉を受け止めて一応相づちを打つが、それ以上言い訳はせず、相手も追求はしないで終わる。これで問いただしや、いさかいが防止できるという、まことに便利な言葉なのだ。時間に遅れてきたのを責めるとき「だからよ〜」と言われると、あとはもう何も言えなくなる。こんな訳でとか、本当は別の理由があってとか、いろいろな事情があっても、ものごとをトコトン問い詰めない。結局テーゲーに終わってしまうところが面白い。日本語に翻訳するのは難しく、ウチナーンチュの心や気持ちを酌まないと理解しにくい言葉の代表である。

沖縄の方言は、単純な言い方が多いが意味が深い。移住者がそれを会得するには、一寸時間がかかるだろう。沖縄芝居にでも通ってみるか。

二九　まぐろとかつお

津軽海峡の大間まぐろは、日本一の高値がついて市場に出回る。大トロ、中トロが好まれるが、戦前は赤身が大事にされた。赤身を醤油に漬けて握るヅケの寿司は、江戸の食文化であったが、これが八丈島を通じて南北大東島に渡り、マグロ、サワラの大東寿司として今に伝えられている。最近は本土でも赤身のヅケが見直されている。まぐろは、寿司ダネの王様、色が美しく、とてもおいしい。

まぐろが沖縄近海で採れることは、本土ではあまり知られていない。泊港の水揚げをはじめ、近海物の一本釣りで、大間のような大型ではないが、冷凍ものとは違うおいしさがある。沖縄で釣り落としたまぐろが黒潮に乗って焼津、勝浦、三陸、大間へ育っていくわけ。沖縄の地ものは、いわば青春の乙女といったところか。本まぐろと呼ばれるクロマグロ、キハダ、メバチ、ビンナガ、トンボ、さらにはまぐろの扱いをされるカジキまで、種類も多い。魚屋の店先にも刺身、中落ち、サクより大きい寸胴切りまで並ぶ。店先で近海物のマグロを見かけたら食べない手はない。缶詰のトゥーナ、つまりツナとか、シーチキンといわれるまぐろも、チャンプルーや炊き込みご飯に入れてよく食べられている。

沖縄のかつおがおいしいことも、伊良部島の漁港で食べさせてくれた刺身で初めて知った。本部《もとぶ》でも鯉でなく、鰹のぼりが空を泳ぐ。かつおが揚がれば、おいしい刺身が食べられる。沖縄のかつおはまだ若いから、酢味噌につけてとろりと食べるのが沖縄風でおいしい。池間島小中学校には、受賞に輝くかつおの句碑が建っている。鰹節もあちこちで作る。豪快に削り、沖縄料理のアジクーターの基本としてタップリ使う。削り鰹節にお湯をそそぐだけの「かちゅーゆー」は、素朴だが、いい味である。

かつおもまた沖縄近海から、高知、銚子へと北上する。鹿児島枕崎はかつおと鰹節の名産地。日本への途中沖縄に漂着した鑑真和上《がんじんわじょう》が上陸した坊津《ぼうのつ》が近い。薩摩上りの琉球使者もここでかつおを食べたに違いない。鰹節はかつおを燻製にしてカビをつけたもので香りと味が良く、本土では和食に欠かせないが、わりと上品に使う。土佐のたたきは、おろしたかつおの身を藁の火であぶり、ぶつ切りにして食べる。昔はニンニクをあまり使わなかった。名物皿鉢《さわち》料理にも盛り込まれる。江戸っ子は、女房を質に入れてでも初鰹を食べるのが心意気だった。

大間のまぐろといい、銚子のかつおといい、本場物は珍重される。関サバ、関アジもそうだが、網にかかったところで決まるらしい。周辺の海で揚がったものは本場ものでなく値段が下がって可哀そう。本物指向、ブランド指向も、度が過ぎると滑稽。ウチナーンチュはあまりこだわらない。

三〇 さいおんスクエア

那覇のメインストリート国際通りは、戦前は畑の中の寂しい県道であった。沖縄地上戦でアメリカ軍に占領されてから、那覇には日本人が一人も入れなかった。戦後の復興で少しずつ人が戻り、ツーバイフォーの家が建ち並び、奇跡のように賑わう長さ一・六キロの道となった。この奇跡の一マイルは、今テンブス館のある場所に「アーニーパイル国際劇場」があったことから、いつしか国際通りと呼ばれるようになったのである。平和館があった平和通り、浮島ホテルがあった浮島通りと同じである。国際通りには、ぱいかじ、うみないび、ふがらさ、ゆうなんぎいなど、本土の人には意味の分からない看板をかけた店が雑然と並び、夜遅くまで店が開き、観光客で賑わっている。治安がいいからだろう。

ゆいレール牧志駅は、国際通りに面した唯一の駅である。本土では駅を中心に街が造られることが多く、そこに駅前文化が生まれる。大勢の人が集まり散っていく、心のよりどころでもある。戦前の沖縄県鉄道ケイビンにも、那覇や与那原、嘉手納の駅前にはそれがあった。ゆいレールは街の中にあとから駅ができたので、駅前商店街、駅前文化が育っていない。牧志駅前にステーションホテルができたときは目を疑ったが、これも長続きはしなかった。

牧志駅を造るとき、安里川沿いの一帯を再開発し、駅前文化を育てようとしたのが「さいおんスクエア」である。国際通りに架かる蔡温橋《さいおんばし》から名前をとった。アメリカのユニオンスクエア、タイムズスクエアなどにならったのだろうが、ネーミングもなかなかいい。スクエアは、プラザ、プレイス、プラッツなどの四角い広場を意味する。ホテルや公民館、図書館、書店、商店などの入った新しいビルが建ち、プラネタリウムも造られた。安里川沿いには、壺屋の陶工が作った「安里大獅子《うふじし》像」が建ち、小さな広場には那覇ハーリーに使われる爬竜船《はりゅうせん》の形をした黄色いベンチも置かれた。たまにイベントも開催されるが、車依存社会に作られた駅前文化の悲しさか、まだまだ人影も盛り上がりも少ないのが残念だ。

近くにはマンションも多く、人の集まる場所としては条件もいいのに、食堂やショッピングの店がとても少ない。バスとの結節も活かされていない。国内外の観光客ばかりでなく、地元の住民がゆいレールを利用して自然に集まってくるような、魅力ある駅前に育つことを期待したい。かといって本土を真似することだけはしたくない。

蔡温は琉球王朝時代、久米の出身で、大臣に当たる三司官にまでなった著名人だ。琉球国内の河川、山林、農業、治水に力を注いだ偉大な政治家であった。野国総官、儀間真常と共に、奥武山公園の中にある世持《よもち》神社に、沖縄の神様として祀られている。蔡温が造ったら、どんなスクエアになったかかな。

三一　坂を登る

島国の日本には峠の山越えが多い。東海道の箱根、鈴鹿、中山道の碓氷《うすい》、馬籠《まごめ》など厳しい坂が続く。神社仏閣も丘や山の上にあることが多く、急坂を避けて緩やかな迂回路を作り、男坂、女坂と呼んだ。石段や木の階段などは歩く坂、つづれ折り、いろは坂など車向きの坂もある。一般に眺めが良くて風情があり、峠の茶屋で一休みするのもいい気分だ。

観光ならこれもいいが、暮らすとなるときつい。景色のいい長崎、尾道、神戸などは坂が多く、市民は苦労している。東京も坂道が多いほうで、文京区にある私の家の近くにも播磨坂や切支丹坂など沢山の坂がある。鉄道も、ループ線やスイッチバックにして坂道を克服する。沖縄でも、首里駅と首里城、中城《なかぐしく》城跡、名護《なんぐしく》城公園などに観光用ケーブルカーやロープウェイを取り入れたらどうか。

沖縄に自転車が少ないのは、暑い土地柄と突然の雨、車のほうが楽だという理由もあるが、坂道が多いこともその一つ。沖縄本島もかなり起伏に富んでいる。坂のことを「ひら」とか「びら」という。神話であの世と現世を結ぶ「黄泉比良坂《よもつひらさか》」に関係がある古い言葉かもしれない。急な坂道を「さくひら」とか「さかない」ともいう。那覇市にも、首里への坂道、金城町石畳、識名坂、ガジャンビラ、桜坂などきつい坂がある。国際通りと新都心や、沖縄市泡瀬と胡屋にも高低差があり、坂の多い浦添市はサンフランシスコにもたとえられる。そのほか、新里《しんざと》ビラ、多幸山の比屋根ビラ、伊野波《ぬふぁ》の石こびれ、茅打ちバンタなど、数えればきりがない。

サンフランシスコやチューリヒ、ブダペストなどではケーブルカーを、香港ではエスカレーターを生活用に走らせて、坂道の交通を楽にしている。車が登っていけるのは限度があり、高齢者などにとって、坂による生活の苦労は悩みの種だ。水、買物、ゴミ、郵便、宅配などのほか、火事や災害にも弱い。坂の街長崎では、生活施設として簡便なスロープカーを取り入れたそうだ。定員2名。乗ってボタンを押すと坂を登っていく。高齢者や障害者は登録すれば無料とか。観光用、旅館施設などでは見かけるが、生活に活かしたのは立派。東京飛鳥《あすか》山《やま》には無料のパークレールがある。広島郊外瀬野ではスカイレールを作りJR駅と高台の住宅地を結ぶ。同じようなのが山梨県の四方津《しおつ》にもある。

坂の多い沖縄にはお年寄りも多い。車はかなりの急坂でも登れるから、頼れるうちは車のお世話になるのもいいが、いずれ外出も億劫になる。そこで坂の多いところに生活用ケーブルカーを取り入れるのだ。役場や福祉施設が、急な坂に悩まされている場所が沢山ある。浦添の中心部とか、那覇と首里の丘とかを結びたい。手近なところで、県庁の正面入口とか、与那原駅舎と高台にある福祉センターに、無料のスロープカーを設置したらどうだろう。

三二　平和のシンボル

六月二三日は「慰霊の日」。沖縄の地上戦が終わったとされる日である。本土の終戦記念日は八月一五日、ポツダム宣言を受諾する玉音放送のあった日だ。日本は敗戦という言葉を嫌い、あくまで「終戦」だという。降服文書調印式は九月二日、東京湾のアメリカ戦艦ミズーリ号の艦上で行われた。沖縄では九月七日、嘉手納基地の中で宮古島軍司令官納見《のみ》中将が出席して行われた。こんな歴史さえ、もう忘れ去られようとしている。

東京千鳥ヶ淵戦没者霊園には、今次大戦の無名戦士や戦没者三六万余の霊が納められている。靖国神社は戊辰・西南戦争以来、日清・日露戦争から今次大戦に至る軍人軍属の御霊が祀られているが、その後いつの間にかA級戦犯が合祀されてからおかしくなった。

広島の産業館は、被爆した建物の残骸をそのまま平和のシンボルにしたもの。長崎の平和祈念像は、文化勲章の彫刻家北村西望の作品で、これまたモニュメントとしてはすばらしい。私は東京三鷹のアトリエに今は亡き西望さんをお訪ねし、お話を伺ったことがある。

沖縄戦のモニュメントとしては、住民が待避し悲劇の舞台となった各地のガマそのものが残されており、南風原の陸軍病院跡や、海軍壕もまた涙をさそう。海軍壕は私が復帰前に訪ね、沖縄戦について初めて教えられたところである。南部戦跡には都道府県別の慰霊碑が建つ。島田叡知事ら県職員の島守の塔、健児の塔、ひめゆり、白梅、梯梧の塔などがあるが、その元は米須《こめす》の魂魄《こんぱく》の塔である。生き残り捕虜になった金城和信真和志《まわし》村長が、遺骨を集めた素朴な慰霊塔で、北村西望作の胸像がそばに立っている。

摩文仁にある平和の礎《いしじ》は、沖縄戦で亡くなった二四万人の個人名がすべて刻まれた慰霊碑で、一九九五年に建てられた。軍人兵士は敵味方の区別なく、アメリカ兵の名はローマ字で書かれている。一般人は老若男女を問わず、名の知れぬ赤ちゃんは誰々の長男、次女などと刻まれている。こんなグローバルな発想は、沖縄だからこそ生まれるので、世界でも珍しいのではないか。近くにある平和祈念像は山田真山作の漆造りが美しい。

首里城や浦添ようどれなども被災したが、歴史的な建造物として復元された。また与那原の復元駅舎も戦争の歴史を刻んでいる。どれも平和を象徴するモニュメントとして、大事にしていきたい。

最近、読谷村に「艦砲ぬ喰ぇー残さー」と、ざわわ、ざわわを何度も繰り返す「さとうきびの歌」の歌碑がそれぞれ建った。これもまた平和モニュメントと言っていいだろう。平和の象徴としてよく鳩が使われるが、沖縄の慰霊儀式には参列者によって蝶のオオゴマダラが放たれる。青空にひらりひらりと舞う白い姿は美しく、鎮魂にふさわしい。放蝶の儀式もまた平和のシンボルであった。

三三　パンケーキ

欧米は、米よりも一般にパンが主食である。私は子供の頃からパンをよく食べた。酒まんじゅうにヒントを得たあんぱんは、傑作中の傑作である。トーストやサンドウィッチもよく食卓に登場した。小学校の売店で、バターやジャミと呼んだジャムをはさんだパンを買って食べた記憶もある。ハムをはさんだ大船駅の駅弁サンドヰッチには、異国の香りを感じた。またデパートの食堂で食べたホットケーキは、フォークとナイフで食べるハイカラな食べ物で、バターとシロップの混ざり合った味は絶妙であった。

戦後、ホットドッグやハンバーガーが、怒濤のように入ってきたのは、ちょっとした驚きであった。マクドナルドが一九七一年銀座にオープンしたときの大騒ぎは忘れられない。日本で初めてのファストフードの店だったからである。沖縄ではすでに一九六三年A＆Wが屋宜原《やぎばる》に開店していたから、こちらの方が早かった。

沖縄に赴任したとき、沖縄生まれのブルーシールアイスクリームを初めて口にした。お店が大きいうえ、種類が多く色とりどりで珍しく、店頭でマンゴタンゴとか好きなものを選んで食べたが、とてもおいしかった。

また五八号線沿いの大謝名《おおじゃな》に「アンクルトニー」というパンケーキ専門店があるのを知りよく出かけた。日曜などは礼拝帰りのアメリカ人家族で超満員である。みんな楽しそうに朝食を楽しんでいる。日本人の姿はほとんどなく、薄めに焼いたホットケーキに、好みで選べる野菜や肉、ベーコン、甘いアイスクリームや果物などを添えるのが珍しく、とてもおいしかった。ハワイ系の店だったらしいが、初めて食べるパンケーキと、店の雰囲気がよく、本物のアメリカ文化に接することができた。支払いはドルがほとんどで、円も使えたが、この店いつの間にか消えた。日ごろ、味噌汁、のり、納豆程度の暮らしに慣れていた私は、朝食ってこんなに楽しいものだということを思い知らされたのである。

一九七一年、初めてパリに行ったときのこと、道端のカフェで朝食をしようとメニューを見たが、フランス語の髭文字でサッパリ判らない。ふとサンドウィッチと読めるのを見つけて注文した。出てきたのは、いつも食べているサンドウィッチとは全く別物で、太めの長いフランスパンに、ハムやソーセージなどを挟んだ巨大なものだった。どうやって食べるのかも判らない。回りを見ると若いパリジェンヌがみんな大きな口をあけてかぶりついているではないか。私も負けずにかぶりつき、パリの朝を味わった。

最近沖縄で流行しているのはエッグベネディクト。私も屋宜原のローズガーデンで初めて食べた。卵料理の一種で、ボリュームのある食感が楽しい。今ではあちこちで食べられる。これも異文化の朝食だ。

三四　298のなぞ

買物客と店員との間で会話の少ないスーパーでは、値段の表示が大切である。少しでも買い手に安く感じさせるために、九九円とか、一八九円とか、大台にのらない数字で表示されていることが多い。

今日のお話は298。国道のことではない。「ニーキュッパ」と読む。二万九千八百円、つまり三万円より安い感じを与える数字である。東京から沖縄へのツアー旅行代金で、二泊三日、往復の航空券と朝食つきホテル代、それに観光やレンタカーつきというから驚きだ。これなら気軽に沖縄旅行も楽しめる。中には三泊四日でこの値段というのまであり、実際に家内の妹夫婦もこれで遊びに来た。東京の旅行会社の店頭には、298と大きく書いたパンフレットが沢山並んでいる。これが沖縄観光に一役買っているのだ。

ところが、沖縄から東京へとなると、こんなに安いホテルパックはまずお目にかかることがない。出発日によっては六、七万円台になることさえある。どうしてこうなるのか不思議だが、需要と供給のバランスが違うからか。それにしても298は安い。航空券だけでも、正規に買えば東京羽田往復八万二千九百円もするのに。航空会社やホテル代がかなり値切られているのだろう。

初めて沖縄を訪ねる観光客にとって、298という格安ツアー旅行代金は魅力的で、結構これで楽しんで帰るようだ。リピーターを呼び込む役目も果たしている。県も沖縄観光客数を八百万、一千万に増やそうと努力している。ハワイへの観光客数を抜いたとか抜かないとか。その意気込みは盛んだが、人数ばかり増えても、すぐに質のいい観光には結びつかない。大勢の観光客を迎えるには、ホテルや商業施設を増やすだけでなく、車の渋滞を減らし、公共交通の充実を図ることにもっと力を入れて欲しいものだ。

かつての沖縄観光は、航空賃も高く、ホテルも少なかったから、神風特攻的な素通り観光がほとんどであった。これからは三泊四日、四泊五日と滞在期間をのばし、滞在型の観光をしてもらうことを考えたい。巨大クルーズ船の観光客も、朝那覇港に着いて夕方には出帆してしまう。

沖縄からは、本土ツアーより海外ツアー旅行のほうが安い。新聞紙上でも、台湾二泊三日298、中国398の広告をよく見かける。私たち夫婦も、旅行社の特別記念企画で上海三泊四日、一人二万五千円というのに参加したことがある。那覇からは直行便、上海は近いから現地での滞在時間はタップリ。ホテルもジョートー、おいしい中華料理をいただきながら存分に楽しんできた。若ければもっともっと海外旅行を楽しみたいところだ。それにしても沖縄から東京は遠い。

三五　沖縄に降る雪

八月二三日は、沖縄戦が始まる前の一九四四年、学童疎開船対馬丸がアメリカの潜水艦の攻撃を受けて撃沈、大勢の学童が犠牲となった悲しい日である。送り出した親や先生の思いはいかばかりであったろう。是非乗せてくれと頼まれて乗った子、病気や家庭の都合で乗れなかった子、運命の別れが生死の別れであった。子どもたちは「本土に行けば汽車に乗れる、雪も見られる」と修学旅行気分であったという。

沖縄には、戦前県営の鉄道ケイビンという汽車があったが、戦争末期には兵士と武器を運ぶ軍用列車となり、一般人は乗れなかった。雪はどうだったろう。古文書には本島北部にみぞれが降ったとあり、気象測候記録には、久米島や名護などでみぞれが降ったと書かれているそうだ。気象上ではみぞれは雪と扱われるらしいが、私たちの感覚では、みぞれと雪では明らかに違う。

組踊に「雪払い《ゆちばれー》」という演目がある。初演は一八六六年、その後改訂されているが、今でも時々上演されるので、私も何度か見た。子どもいじめの物語で、舞台に雪がしんしんと降り積もるのである。歌舞伎舞台の影響を受けた紙吹雪なのだが、暑い沖縄の舞台に雪を降らせた先人の心意気に、寒さが伝わってくる。

宮古島で作られる白い雪のような塩「雪塩」を使って作る雪塩ちんすこうは新しい沖縄土産となっている。宮城島で作られる「ぬちまーす」は、軽い粉雪の食感をもつ不思議な塩で、工場を窓越しに見学できる。最後の工程で瞬間的に吹き出される塩は、まるで粉吹雪そっくり。新婚時代の三年を過ごした秋田の猛吹雪を思い起こさせるものであった。命の塩という意味で、海洋深層水から作られる工程技術は秘密だという。

ウチナーンチュの雪へのあこがれは強い。本土から航空便で贈られてくる本物の雪を使って遊ぶ子供たち。雪だるまや雪合戦。雪のようなかき氷と金時豆を使った沖縄ぜんざいは、冬でも冷たいまま食べられる。

一九九九年一二月二〇日の夜、那覇のパレット久茂地前でクリスマスキャロルを歌う子どもの姿を、親がビデオで写していたら、空から白いものが降ってきた。雪だと思いすぐビデオに収めた。その映像を入手したキャスターが、地元テレビの番組にして放映したのである。私も見たが、ほんの1~2分、明らかにみぞれでなく雪だった。しかし専門家や学者は、気象条件から考えてなかなか雪だと認めない。最後に北大の雪の先生が「雪が降るとは思えないが、地元の皆さんが雪だというなら雪でしょう」と締めくくったのはさすがであった。昨今とかくデータや理論が先に立ち、人の受け止め方がおろそかにされる。理論は大事だが、人の感覚も大切にしたい。

三六　沖縄の鉄道

沖縄で最初に走り出したのは路面電車である。大正三年(一九一四)五月のこと。長崎より一年早かった。那覇港の通堂《とんどう》から、久米、若狭、崇元寺通り、坂下から首里山川《やまがわ》まで、チンチンガタゴトと木製の電車が結んでいた。辻《ちーじ》の近くに西武門《にしんじょう》の電停もあり、西武門節に「貴方、今度は電車でいらっしゃい、西武門でお待ちしますよ」と歌われた。昨今「車で」と言い替えて歌うのはおかしい、車だと辻まで入れる、と船越義彰さんも言っていたが同感である。この電車、残念ながらバスに負けて一九三三年に消えた。

この年の一一月には、与那原に馬車鉄道が走り出した。西原にある製糖工場にキビや人を運ぶ目的で、人力で動かす人車鉄道として計画されたものだったが、途中から馬車鉄道に切り替え泡瀬までを結んだ。軌道馬車とも呼ばれ、当時「軌道口説《くどうち》」という三線の鉄道唱歌まで作られた。一九一八年には、県内財界の手で那覇垣花と糸満の間に人を乗せて運ぶ馬車鉄道も走らせた。戦時中、動力の馬が軍に徴用されて廃止されている。

その直後の一二月には、那覇と与那原間に沖縄県鉄道が開業した。国が作ってくれないので、規格を落として軽便鉄道とし、県が赤十字から借金をして作ったのである。県鉄とかケイビンと呼ばれ、県民に親しまれた。その後嘉手納、さらに糸満まで線路を延ばし、この三本の鉄道が、沖縄地上戦で破壊されるまで走り続けた。大正三年は、沖縄にとって鉄道元年ともいうべき年である。泉川寛が歌う「軌道口説」を聴いてみよう。

これとは別に、南大東島には砂糖キビを運ぶシュガートレインがあり、一九八三年の製糖期まで、実際にキビを運んでいた。かつては蒸気機関車が走り、乗客を運んだこともある。その姿は今村昌平の映画「神々の深き欲望」のロケに使われ、今も映像に残っている。戦後は日本最南端の、沖縄県唯一の鉄道だった。私も一九七七年に、東京からわざわざ南大東島を訪ね、この汽車に乗せてもらっている。今はトラック輸送に代わってしまった。

一九七五年の沖縄海洋博会場には、会期中、KTR(エキスポ・ニューシティカー)とCVS(エキスポカー)が走り客を運んだ。自動運転の新交通システム初の実用化で、ゆりかもめやポートライナーの元祖だったが、閉会と共に消えてしまった。

沖縄の本土復帰を願って、国鉄は、京都と西鹿児島間にディーゼル特急「なは」号を走らせた。これはその後形を変えて四〇年間、復帰後も走り続け、最後はブルートレイン寝台特急として、二〇〇八年に惜しまれつつ消えていった。

平成一五年(二〇〇三)、沖縄に戦後初めて沖縄都市モノレールが開業した。愛称はゆいレール。観光客に大人気で活躍中である。

三七 盆の月

旧暦七月一五日の旧盆は、ウンケーに始まり、中ぬ日、ウークイと続く。ウンケーはお迎え、ウークイはお送りか。沖縄ではまだ旧暦が色濃く残っている。そのためお盆の日が毎年違う。年により新暦の九月になることもある。旧暦のお盆は旧正月と並ぶ最大の年中行事だ。まず七月七日の七夕にお墓の掃除をし、お盆には祖先を供養するため仏壇にジューシー、そうめん、バナナ、パイン、重箱などのご馳走を供える。グーサンという砂糖キビの茎は、ご先祖様があの世と行き来をするとき使う杖、黄色い紙に刻印したウチカビはご先祖様があの世で使うお金で、燃やして煙を出す。

盆の月というのは旧暦七月一五日の夜の月のこと。家内は四〇年以上も俳句をやっているが、大切な季語の一つだとか。中秋の名月は旧暦八月一五日の夜の月だけをいう。「八月十五夜の茶屋」というアメリカ世のウチナーンチュを描いた映画もあった。月の満ち欠けや、潮の干満をもとにして漁業や農業を営む沖縄では、月を中心にした自然の暮らしを大事にするから、明治以降太陽暦となった今でも、旧暦の存在は暮らしに欠かせない。

ウチナーンチュは、美しく大きいお月さまが大好きだ。月のことをチチ、月を愛でるのはチチナガミ。旧暦七月一三日の月夜には、八重山でトゥバラーマという民謡の大会が催される。各地とも観月会が盛んで、中秋の名月にはふちゃぎ餅という、餡の入らないお餅の回りに小豆を一杯つけた餅を供え、泡盛を飲み、唄三線で賑やかに過ごす。漫湖の畔や、今空手会館がある豊見城城址公園などが会場だった。つきしろは神女の名であり、月代宮《つきしろのみや》は第一尚氏の王統を祀っている。新城《あらぐすく》の上地島《かんじ》にはジュゴンを祀る御嶽《うたき》があり、太陽と月を刻んだ白い壁門が神々しい神域と俗世を隔てている。護佐丸落城の夜は美しい満月であったという。中城村大城《うふぐしく》の年中行事はムーンライトコンサート。伊平屋島にはムーンライトマラソンがある。

本土の盆は、都会では新暦の七月一三日から一五日または一六日、地方では、なぜか旧暦とは違う月遅れの八月一三日から一五日が一般的のようだ。地方のお盆前後には、都会から帰郷する人たちの殺人的な帰省ラッシュが出現する。高速道路では車の渋滞、鉄道や航空機の混み方は異常なほどで、海外旅行を含め名物行事となっている。その陰で、盆提灯を灯し、麻殻を炊き、お墓参りをし、精霊流しなどで供養する家もある。

本土ではお月見にすすきを飾り、お団子を供える風習がある。月に現れる模様を、兎と見るか、女性、獅子、カニとみるかは人さまざまだ。名月の翌日は十六夜《いざよい》、あとは、立待月、居待月、寝待月と月の出がだんだん遅くなっていく。月が見えないときでも、無月とか雨月という言葉で表す。大気汚染や月面着陸などで、盆の月も名月も荒らされていく。

三八　けらまブルー

何という美しく青い海だろう。那覇の沖合に見える慶良間《けらま》諸島は、人の住む渡嘉敷島、座間味島、阿嘉島、慶留間島などのほか、外地《ふかじ》島、前《めー》島、久場島、屋嘉比島、奥武島、安室島、黒島など無人島を含むいくつかの島々の総称である。那覇から高速船やフェリーで手軽に行けるところがいい。

私が初めて家族と海水浴に行ったのは、座間味島の沖合にある安慶名敷《あげなしく》島であった。水中メガネで海を覗くと、青いコバルトスズメや、赤や黄色の熱帯魚が泳ぎ回り、まるで竜宮城のようだと感激した。渡嘉敷島には国立青年の家がある。私が沖縄キリスト教短大にいた七年間、ここで毎年行われる新入学生オリエンテーション合宿に参加し、ピチピチした学生さんたちと海水浴も楽しんだ。阿嘉島では、サンゴの産卵が近いころ宿に泊まり、夜光る三点セット、「星空」「蛍」「ケラマジカの目玉」を見てきたこともある。那覇から外地島に渡る小型機上から、クジラが泳いでいるのを見つけた。するとわざわざ低空を旋回してよく見せてくれたのである。一月から二月ごろにかけて、慶良間の海にはクジラが集まるので、ホエールウオッチングが楽しめる。

座間味島の古座間味《ふるざまみ》ビーチの美しさは格別である。穏やかな海の色は、濃い藍色から紺碧、コバルトブルーからエメラルド、淡い緑に青色と、七色に変わり、白いサンゴの砂浜に映える。透明に輝く青は、琉球ガラスか信号機の青のよう。ポスターや写真にある青い海が本当だと知らされる。これがけらまブルーと呼ばれる海の色だ。沖合に白く波打つリーフが自然の防波堤、その内側のイノーには、白い砂地と黒いサンゴ礁がビーチのすぐそばまで混在するので、素人でもメガネで覗けば竜宮城の世界が楽しめる。

泡盛にも紺碧という銘柄がある。夜光貝の殻を削って漆に貼り付ける螺鈿《らでん》細工は青く妖しく美しく輝き、沖縄の海の色を連想させる。

この海の青さは、名曲「芭蕉布」に歌われるように、空の青さにも関係がある。沖縄の空は、広く、高く、深く、澄んでいて、白い雲が実によく映える。曇っているとやはり海も輝かない。この空の青さが、池上永一さんの言うフェラーリの赤みたいな首里城正殿の美しさを一層引き立たせてくれるのだ。紅型の色も、赤、黄色、紫、緑と、強烈な海と空の青さに負けることがなく、かえってこれをひきたたせているように思う。

沖縄本島付近の海は近ごろ汚れてきたが、それでもまだ本土の海よりは美しい。ウチナーンチュは、海の色はこれが当たり前のように思っているから、初めて本土に渡り汚れた海を見るとびっくりする。スモッグや黄砂に汚れた空もいただけない。沖縄の輝く海は宝、大事にしたい。

三九　ぜんざい

夏に涼しさを求めるのは、本土も沖縄も同じである。本土では、風鈴、金魚、朝顔棚などのほか、そうめんや冷やむぎ、冷や汁や水ようかん、かき氷などが好まれるが、沖縄では、ゴーヤー棚やガジュマル大樹の木陰で、ブルーシールアイスクリームやシークワーサージュースを飲んだりする。さんぴん茶もあまり熱くしないで飲む。

不思議なのは、夏の暑いときでも、スバと呼ぶ熱い汁の沖縄そばを食べること。最近は本土のもりそば風に、冷たいそばをつゆにつけて食べることもあるが、基本的には、沖縄そば、ソーキそば、テビチそばなど熱いのが主流である。

一方、冬の冷え込むときでも、ヒジュルコーコーかき氷を盛った冷たいぜんざいを食べる。ぜんざいというと、本土では熱いおしるこや、アンコだけのスイーツをいうが、沖縄のぜんざいは違う、氷あずきに近いかき氷の一種である。ただ小豆でなく、甘さを控えた金時豆の煮たのを使う。白玉のだんごが二つ三つ入っていることもある。一般に量が多いが、氷あずきほどくどくなく、さっぱりしていてきれいに食べられる。沖縄そば屋のメニューにもなっていて、ウチナーンチュは大好きだ。冬の観光客は、氷のぜんざいを見て驚く。そこでホットぜんざいなるものまで生まれた。

もともと沖縄には、あまがしという郷土スイーツがある。押麦、緑豆を黒糖で煮たものを冷やして食べるもので、トロリとした食感が特徴である。今でも琉球料理のデザートや缶詰などで食べられる。戦後金時豆と、かき氷を使って作ったのがぜんざいとなった。氷の食感が大事で、ザラザラした荒いものより、ふんわりとした雪のようなかき氷がいいとされるのは、台湾の氷菓、雪花冰《しぇーほぁぴん》の影響か。そのためには、氷を削るカンナを毎日よく研がなくてはならない。名護東江《あがりえ》のひがし食堂や、那覇西武門《にしんじょう》千日のぜんざいは逸品で、私もよく食べに行く。

変わったところでは、ぜんざいをカップに入れてバイクで出前するところや、コーヒーゼリーとコーヒーをかけたコーヒーぜんざいを出す喫茶店もある。

ちなみに東京では、つぶ餡の入ったものを小倉《おぐら》汁粉、こし餡のものを御前《ごぜん》汁粉、汁気のないあんこだけのをぜんざいと呼ぶ。関西では、お汁粉をぜんざいと呼び、汁なしあんこだけのを亀山と呼ぶので、とてもまぎらわしい。

昨今は、フラッペとか高級感を出したかき氷や、抹茶系、果物系、白熊系のほか、昔なつかしい赤い氷イチゴ、黄色い氷レモン、緑色の氷メロンなど、素朴なかき氷も喜ばれている。ミルクをかけたり、ブルーのシロップをかけたりするものもある。沖縄独特の素朴なぜんざいも頑張って欲しい。

四〇　沖縄を描く

　このところ戦前の沖縄写真集が出版される。沖縄戦で何もかも失ったはずなのに、まだこんなにも写真が残っているのは不思議なくらい。琉球王国時代には、写真でなく絵画であった。歴史画には、進貢船や貿易船で賑わう那覇港の情景が描かれたものもあり、とても興味深い。国王の絵姿を描いた御後絵《おごえ》は、戦前鎌倉芳太郎が撮影したモノクロ写真から見事に復元されている。葛飾北斎は版画に琉球八景を取り上げた。ペリー提督の日本遠征記にある琉球風物の挿絵は、随行画家のウィルヘルム・ハイネの手によるもの。また藤田嗣治《つぐはる》、後のレオナール・フジタも、一九三八年に沖縄を訪ねたとき描いた「那覇の客人」という作品を残している。この絵は秋田県立美術館の平野政吉コレクションに収められており、私も本物を見たことがある。

　私は、絵画や美術好きの父母と妹たち、美術家の多い親戚に恵まれて育った。父の親友だった画家梶原貫五さんの北軽井沢のアトリエで、司法試験に備え夏休みを過ごしたことがある。勉強はそっちのけで、毎日絵の話を伺い、ものの見方を教わった。梶原さんは、戦前尚家の招きで沖縄に滞在したこともある。名落語家だった先代柳家小さんも子供のころ梶原さんから絵を習ったそうだ。小さんは弁護士事務所の事務員をしていたが、同じ事務所の弁護士横地秋二さんの肝いりで落語の道に進んだ。私も司法修習生時代に横地先生から直接指導を受けたので、小さんと共通の師が二人もいるのである。

沖縄で接した画家の方々。大嶺政寛さんは、一回アトリエをお訪ねしただけだが、シーサーに似た顔で高笑いしながら小作品を格安で譲ってくださった。名渡山愛擴《あいこう》さんは、首里にあった紅型工房を訪ね、娘の進学指導までいただいた。與那覇朝大さんは、沖縄コロニー・サンサンシティー構想委員会でご一緒し福祉を学んだのに、その後ご自身が障がい者になってしまわれた。松崎洋作さんは東京出身だが、奥様がウチナーンチュで、私と共著の『沖縄軽便鉄道』の絵を担当、コンピューターグラフィックスで夢とロマンに溢れる鉄道絵を描いてくださった。ゆいレール展示館や与那原駅舎資料館に数多くの絵が展示されている。これらの方々は、残念ながらすでに亡くなられた。

アリカワコウヘイさんは、RBC琉球放送テレビ「情報コンビニ」の番組で共演したとき、番組進行中に私の顔の絵を描いてくださった。桑江良憲さんは沖縄絵手紙の会長。その他名嘉睦念、稲嶺成祚、故久場とよさんらとは直接お話しもしている。みんなすばらしい画伯で、お人柄にも魅力がある。

ロ－ゼル川田さんは、私の著書『沖縄の鉄道と旅をする』に、戦前崇元寺前を走る路面電車の絵を使わせていただいた。

四一　創作もの

このほど琉球舞踊の佐藤太圭子さんが、ポーラ賞を受賞した。この賞は、全国の優れた伝統文化の貢献者に贈られる立派な賞で、その授賞式が東京のホテルであり、私も参列してきた。受賞理由に琉舞の伝承のほか、「創作」が加わっているのが目についた。一九七七年に初めてお会いし、琉舞の話をお聞きしたときから四〇年になる。当時新進気鋭の彼女は、伝統芸能の厳しさと創作への挑戦を熱っぽく語ってくれた。今でこそ創作舞踊も確立しているが、あのころのこと、相当な勇気が必要だったろう。

古典、美術、工芸、音楽、芸能、料理など、伝統を重んじる文化の領域では、長い歴史があり、古いものやしきたりが形を決めていく。自然に育まれたルールは、なかなか崩せないし、また簡単に崩してはいけないものだ。しかし一方で新しいことへの挑戦もあっていい。勇気も必要だし抵抗もあるが、それを乗り越えるには、基礎となる伝統をふまえた精進が大切である。

沖縄でも、三線と洋楽器の競演、現代版組踊「肝高《きむたか》の阿麻和利《あまわり》」、歌舞伎と組踊のコラボなど、いろいろな試みが行われるようになった。私も故新垣典子さんに頼まれ、創作舞踊「さがりはな風」の原作を書いたことがある。漆器、陶器、ガラス、染織にも新作や創作が生まれている。そういえば、私の東大入試論文の問題に「伝統と革新」というのを出されたな。何を書いたかもう忘れてしまったが。

私の母方の祖父井上哲次郎は、明治一五年(一八八二)、友人の外山正一、矢田部良吉とともに「新体詩」を作った。それまで漢詩、短歌、俳句が中心だった日本詩歌の中に、新しい西欧文化を取り入れようとしたのである。ハムレットの台詞「生か死か。それが問題だ」というのを「永らふべきか但しまた、永らふべきにあらざるか、此所が思案のしどころぞ」という具合に、日本人好みの七五調に訳し、新しいスタイルの詩を創作した。この試みはその後、落合直文や島崎藤村ら日本の文学史に大きな影響を与えたとされている

能の世界でも、清水寛二さんは、新作能として沖縄戦や原爆を扱った「沖縄残月記」や「長崎の聖母」という作品を次々に上演している。スーパー歌舞伎の猿之助や、幸四郎、染五郎らが新しい舞台に取り組むなど、歌舞伎界でも新作が生まれている。戦後、古典落語のほかにも、新作落語が次々に誕生した。かつては、何だ新作か、などと軽々しく扱われたものだが、昨今はそれなりに確立してきている。

古典もすべて最初は新作、創作であったわけ。伝統芸能を極めたうえで、創作にもどんどん取り組んで欲しい。将来立派な古典として通じるものが出てくるはずだから。

四二　沖縄弁当

携帯用の食事、弁当には、古い歴史がある。平安時代には「頓食（とんじき）」と呼ばれ、漆の容器に詰められた。江戸時代には、おにぎりを竹の皮で包んだ腰弁当のほか、贅沢な花見弁当、芝居や相撲での幕の内弁当などが生まれた。明治から昭和にかけて、アルミ製の弁当箱が学校や職場で使われた。ことに戦時中は、ご飯の真ん中に赤い梅干しを一つのせるだけの「日の丸弁当」が生まれた。握り飯はおむすびとも言われ、塩にぎり、俵型、三角、海苔で包んだ大むすびなど、さまざまな形で愛された。

駅弁は日本独特の文化。戦前は汽車辨當《べんとう》といった。二段重ねで下段がご飯、上がおかずで、焼き魚、かまぼこ、卵焼きが必ず入り、三種の神器といわれた。掛け紙で包むのが特色で、蓋を開けるまで中が見えない。やがて二段重ねは少なくなり、うなぎ、鶏めし、釜飯、寿司など特殊弁当が増え、ひもを引くと熱くなるアッチッチ弁当まで生まれた。現在はデパ地下、駅なか、スーパー、コンビニなどでも売られ、駅弁花盛りである。

幕の内弁当は、芝居の幕間に食べられるよう俵型のご飯であったが、今は平たく詰めたご飯でも通用する。松花堂《しょうかどう》弁当は、石清水八幡の僧侶松花堂昭乗の発案といわれ、十字に仕切り、京懐石を美しく詰めたもので高級感が受けている。

沖縄の弁当は特色がある。透明のフードパック容器の中に、ご飯が見えないほどおかずがギッシリ積まれている。蓋の上から中身がよく見えるのだ。暑い土地だけに腐りにくいもの、とんかつ、唐揚げ、白身魚フライ、ハンバーグ、沖縄天ぷら、ポーク玉子など脂ものがメインである。それににんじんシリシリ、ゴーヤーちゃんぷるー、くぶいりちー、野菜炒め、ナポリタンなどもふんだんに敷き詰めてある。

よく見ると、同じようでもおかずの取り合わせが少しずつ違っているから面白い。中身を確かめ、好みのものを選んで買い求める人もいる。とにかくボリューム満点、カロリーも満点である。一般にご飯の量が多く、キロ弁という重量一キロ近い山盛りの弁当まである。お年寄りはとても食べきれないので、一つ買って夫婦で分けて食べたりする。最近はさすがに分量の少ない小型弁当を売り出した。小さいなりにご飯が隠れるほどのおかずがちゃんと入っている。マチグヮー辺りでは一五〇円から買える。どの弁当も駅弁のような掛け紙はなく、玉手箱を開けるときのようなドキドキ感はないが、中身がズバリ見えて便利だ。沖縄ならではのこの弁当、沖縄弁当と呼ばれている。

沖縄独特のポー玉にぎりも生まれた。ポーク玉子とご飯を海苔で巻いたおにぎりで、これが結構おいしい。ハンバーガー感覚で、空港や県内コンビニでも売っている。専門店までできて、観光客が列を作っている。

四三　温泉につかる

日本は火山国である。噴火や地震の被害も多いが、一方温泉にも恵まれている。地底から湧き出る自然の温泉は、療法に使われるほど効能がある。温泉は、25度以上または特定の成分を含んだ湧き水のことだから、昔鉱泉といって区別した、温度が低く加熱して入るものも温泉の仲間である。でもやはり自然のままに熱いお湯がふんだんに出てくる「かけながし」の温泉のほうが好まれる。三大名湯として、有馬、草津、下呂がよく上げられる。私が子供のころ入った温泉は、伊香保と那須、箱根で、九州の祖母のところで夏休みを過ごしたとき別府、湯布院を訪ねた。

日本だけでなく、火山性のイタリア、ニュージーランド、非火山性のドイツ、ハンガリーなどにも温泉がある。ドイツの温泉地バーデンバーデンはズバリ温泉温泉の意味で、島根県の温泉津《ゆのつ》より地名そのものだ。

沖縄にも活火山がある。県最北端の硫黄鳥島で、噴火の危険があるというので一九五九年に全島民が久米島に避難し、その後無人島になった。熱い天然温泉がわくという。出身者がフェリーをチャーターして墓参に行く機会に私も同行させていただくことになっていたが、公務の都合で参加できなくなり、未だに果たせないでいる。

暑い沖縄には、温泉につかりポカポカ体を温め癒やすという風習がない。沖縄に赴任していたころ、恩納《おんな》村仲泊に山田温泉というのが一軒だけあった。ぬるい自然鉱泉を沸かした大浴場があり一度入ったことがある。今はホテルになり、宿泊客だけしか入れなくなった。掘削技術が進歩したことと、大浴場はないのかという本土観光客の要望に応え、昨今はあちこちに温泉が出るようになった。ロワジールホテル、りっかりっか湯、ユインチホテル、浦添、北谷、本部、人気の瀬長島、宮古島にも温泉がある。西表島にも温泉があり、日本最南端の湯をうたっていたが、いつの間にか消えたようだ。一〇〇メートル掘れば三度地熱が上がるとかで、これからも増えていくことだろう。閑散期に格安で泊まれる地元住民限定プランもある。何回か利用したが、手軽に本土の温泉気分を味わうことができた。

沖縄ならではの療法施設がある。宜野座村漢那のかんなタラソ・テラピーで、ギリシャ語でタラソは海、フランス語でテラピーは治療の意味だとか。海洋療法で、海水の効果があるという。専門の職員の指導の下に、種類の違う大浴場で湯浴み、軽い運動を続ける。海を眺めながらジャグジーにつかる気分はなかなかのものだ。また久米島に隣接する奥武島《おうじま》にはバーデハウスという海洋深層水一〇〇パーセントの療法施設ができた。このような施設こそ、沖縄にふさわしいもので、温泉よりも、もっと増やしていいものではないだろうか。

四四　えとと遊ぶ

干支と書いてえとと呼ぶ。年賀状には「羊が去る〜猿がくる」と書いたものや、えとに関わる駅名標、鼠ヶ関、牛久、虎姫、卯之町、辰野、蛇田、馬堀、洋光台、猿橋、鳥居、犬山、猪谷駅で撮った写真を送ってくる友人もある。発祥は漢字国の中国で、十干十二支の組み合わせにより、時間、方角、事柄、占い、吉凶などを考える。十干は甲乙丙丁戊己庚申壬癸、十二支は子丑寅卯辰巳午未申酉戌亥。本土では新年を迎えるときぐらいだが、沖縄では暮らしの中に生きていて大事にされる。旧暦七月亥の日にウンガミのまつりを行うという具合だ。首里一二カ所巡りも、えとにちなんだ観音堂、安国寺、達磨寺、儀保盛光寺と決まっている。えとを刻んだ橋も浦添公園や、福州園にあるが、福州園のは最後の亥が豚になっている。そんなえとを沖縄の風物から探してみよう。

子は鼠。高倉は鼠避け、子の方角には北極星《にぬふぁぶし》。丑は牛。闘牛、黒島の牛祭にステーキ。寅は虎。首里の虎頭《とらず》山に伊平屋の虎頭岩、清正が虎退治をした豊臣秀吉の朝鮮征伐に琉球が協力しなかったことが、沖縄いじめの始まりだ。

卯は兎。南限は奄美と言われるが、竹富町嘉弥真島で野兎の糞を沢山見たことがある。うるま市の浮原島にもいるとか。辰は龍。国王や権威の象徴で首里宮殿などを飾る。竜巻は北谷沖で発生したのを見て怖かった。海人は龍神の怒りを一番恐れる。巳は蛇。ハブとマングースを闘わせるショーや、瓶詰めを店頭に飾るハブ酒の売り方は、そろそろ止めにしたらどうだろう。でもアダンの葉で編んだハブのおもちゃは素朴で楽しい。嘉手納の屋良ムルチには大蛇が出た。

午は馬。八重山の名馬に赤馬節、中国との貿易では、琉球の硫黄と馬が輸出品の代表であった。戦前は沖縄に馬車鉄道も走っていた。ンマハラシーは速さでなく、走る姿の優雅さを競う沖縄独特の競馬である。未は羊。山羊は野生のものを含め沢山いるが、羊は毛糸も不要の土地で縁が薄い。ジンギスカン鍋を山羊でやったという話はよく聞く。山羊を闘わせるヒージャーオラセーの優勝商品は山羊一頭、打ち上げはヒージャー汁か。山羊のチーズもある。申は猿。猿の肝民話のほか、獅子舞や組踊「花売りの縁」にも登場する。

酉は鶏。チャーンは声の美しさを競う鶏。ブエノチキンでクリスマス。戌は犬。琉球犬は少なくなったが、三線の元祖、赤犬子《あかいんこ》は読谷村出身、古民家の柱などに使うイヌマキ、愛犬マリリンに会うため慶良間の海を泳いで渡った犬もいる。亥は猪。山原にはあちこちに石積みの猪垣が残る。琉球料理のいなむどぅちはいのししもどき、猪肉の代わりに豚を使った。東村には猪の子ウリ坊の牧場がある。このウリ坊、果樹園の掃除をしてくれるそうだ。

四五　沖縄の子育て

沖縄に赴任してきたとき、夫婦共稼ぎが圧倒的に多く、奥さんが夫と関係なく立派な職業についていること、一家に子供の数が多く五人や六人は当たり前であることに驚いた。その当時はまだ、本土で考えられないことだったからである。子に目が行き届かず、放ったらかしにしているのではないかと心配した。

でも子供たちは活き活きと街なかで遊んでいるし、人なつっこい。開放的な風土と治安の良さがそうさせるのか、鍵っ子やいじめが少なく、夜遅くまで制服のまま街を歩いている。親も子供連れで居酒屋に出かける。宮古島の高校受験日には一家総出でピクニック気分のランチを取る。卒業式のあとメリケン粉を掛け合う風習は食材を無駄にするなとの声に押されいつしか消えたが、この程度のことは微笑ましかったのに。高校のない離島では十五の春に島立ちの別れがあり、沖縄の中学、高校生が平気で本土やアメリカなどに留学する姿にも驚いた。

定年後沖縄に移住した私は、短大で保育科の先生になった。学生はみんな子供が好きで、児童の心理や栄養などはよく勉強しているが、保育者としての心構えに欠けている。理不尽な親がしゃしゃり出てくるとオタオタしている。大人になるための自覚について教えるなら私でもできると思ったからである。学生たちも新鮮な授業と受け止めてくれたように思う。逆に私もここで、高齢者の介護や福祉を学ぶことになった。

問題を起こす家庭は、親離れ子離れができていないことが多い。二〇歳の成人近くなっても「ねえ〜ママ」「うちの子に限って」は、おかしいのではないか。子供は親を見習うものだ。夜型社会もそこから生まれる。車社会もまた問題で「地元の大学にいくなら車買ってやる」なんて言われる。車という閉鎖空間で育つから社会教育ができない。社会には目があり、自覚は本来自然に身につくのだ。

「親の言うことを聞け」と親が進路を押しつければ、家庭の不和、そして不幸につながる。所詮子供は別人、押しつけはだめ。親は放任でなく子の成長を温かく見守りたい。成長と自覚は子供の心構えにまかせよう。「てぃんさぐぬ花」は、親が私を目当てにしている、と歌っているではないか。親を頼らぬ自立心を養うことが大切だろう。親は子の才能を伸ばしてやり、子は知識を学ぶだけでなく、感性や社会常識を身につけて欲しい。

私は、うそをつくことに厳しかった父と、若くして亡くなった優しい母に育てられた。勉強嫌いの弱虫だったが、大事なポイントだけは教えてくれた。私たち夫婦も、感性豊かな娘は女子美術大へ進み、今は那覇に移住し「お肉とチーズの店てだこ亭」のオーナーシェフをしている。息子は進学も就職も一切本人まかせ、現在は東京の損保会社に勤めている。ただお金のことだけはキチンとさせた。成功したかどうか。

四六　Aランチ

ランク付けという言葉がある。オリンピックの金銀銅メダルをはじめ、成績の甲乙丙、優良可。列車も昔は上等中等下等、のちに一、二、三等となった。今はグランクラス。グリーン車、普通車となっている。兵隊の位や、勲章、序列、格付けなども好まれる。寿司、うなぎ、弁当などは特上、上、並。あるいは松、竹、梅と表示する。並注文の客の心理を考えてのことで、めでたさ、奥ゆかしさの現れか。

おきなわんレストランという大衆食堂のメニューは、そばをはじめ、チャンプルー、ちゃんぽん、煮付け、テビチ、チャーハン、カレー、タコライスなどのほか、ゆし豆腐、天ぷら、刺身から、店によっては、うなぎ、ステーキ、伊勢エビに至るまで、和洋中琉と、種類が豊富でバラエティーに富んでいる。これが品書きされて壁にズラリと貼り付けられているのは壮観だ。イス席のほか小上がりの座敷もあって、お年寄りから子や孫まで、一家揃ってきてはそれぞれ好きな物を注文する。メニューの多様性はここからくる。

その中にランチというのがある。昼に限らず夜でも食べられる。Aランチ、Bランチ、Cランチに分かれているのが普通だが、中にはAかCだけだったり、店の名前をつけたりすることもある。肉か魚かといった種類別ではなく、一皿に盛った料理の組み合わせによる区別だ。ライス、サラダのほか、スープやドリンクがつくこともある。例えば、

Cランチは、鳥唐揚げ、ポーク玉子、ウインナ、ナポリタン程度の組み合わせ

Bランチは、これにとんかつ、ハンバーグなどを加えた組み合わせ

Aランチは、さらにステーキ、エビフライなどを加えた組み合わせ

と、どれも見た目にはあまり違いが目立たず、量もあり、Cでも十分満足できる。配分のうまさには感服する。それ相応にお値段が安くなるのも魅力だろう。チャンプルーや煮付けとか沖縄料理は入らない。フォークやナイフを出すところもあるが、箸で食べる人も多い。紙ナプキンは常備、少なくともティッシュは置いている。

もともとは、コザにあった名店ニューヨークレストランで始まった、アメリカ時代の名残と言われている。歴史家の高良倉吉さんの話によると、中国皇帝の使者冊封使を迎えたとき、琉球王府が接待した宮廷料理は最高級のAランチであったが、ペリー提督が無理矢理首里を訪問したとき大美御殿《うふみうどぅん》でもてなした料理は、一見豪華に見えても冊封使のよりは少し落としたもので、いわばBランチであったという。

亡くなった河合隼雄さんが文化庁長官として沖縄に来られたとき、親慶原《おやけばる》のおきなわんレストランでAランチに当たるチャーリーランチを食べていただいた。とても喜んで「これも沖縄文化だなあ～」と感想を漏らされた。

四七　沖縄のトイレ

先日焼物の里瀬戸へ行ったとき、戦時中鉄の代わりに磁器で作った梵鐘や、筒の形をした民家の便器などを見た。朝顔型でない筒型の小便器は、私が子供のころ、福岡の祖母の家にあったものと同じ型で、チロリンといい音が響くのである。ドレスデンの宮殿でマイセンの磁器の鐘が奏でる音楽に通じるものがあった。

トイレは便所のこと。厠《かわや》、雪隠《せっちん》、はばかり、お手洗い、手水、ご不浄、化粧室ともいう。WC、トイレット、おトイレを漢字で書いて音入れ、レストルーム、ラバトリーと、さまざまだ。大小、男女、和式洋式の区別がある。汽車式という日本独特の型もある。昔の汽車はタレ流しだった。戦時中学徒勤労動員で列車清掃作業をしたとき初めて知った。今は航空機と同じタンク式である。クルーズ船も大変だろう。バスツアーもトイレ休憩は欠かせない。海外の公衆トイレは、数が少なく背が高く、チップも必要なことが多い。

沖縄のトイレは、フール、フーリヤ、ワーフールといって、格式ある民家のものは石造りの立派な豚小屋と一緒になっていた。豚の餌も確保される。フール神も祀られ、豚を大事に扱う。大正初期に衛生上取り壊しとなったが、僅かに残っている。一般民家は小屋がけのヤーフール、ゆうなの葉でお尻を拭いた。トイレは大事にされるから、思わぬところに存在する。牧志公園の拝所の正面、地裁所長室のすぐ隣にあるのには驚かされる。

にもかかわらず、一般に公衆トイレの数が少ない。国際通りや壺屋、マチグヮー周辺では探すのに苦労する。パレット久茂地りうぼうのトイレの少なさや、那覇市民劇場の急な階段の下にあるトイレ、階段半ばの踊り場にあるトイレなど、高齢者にはきつい。ゆいレールの駅などもっと増やせないのだろうか。そして女子トイレが少ないのもおかしい。女性のほうが時間がかかり、外出も男性より多いくらいなのに。でも本土よりいい点もある。ほとんどが洋式で、トイレットペーパーの備え付けがあることだ。

トイレは小さな空間で、瞑想にふけったり、読書をしたりするのにはもってこい。この節は、密室の不安ということもあり、開放的な、新しいタイプの公衆トイレも生まれつつある。千葉県小湊鐵道飯給《いたぶ》駅のトイレは、世界一豊かと言われ、ガラス張りで花に囲まれているそうだ。天草下田にある見晴らし台の男性トイレは、海へ向って開放されている。東京駅大丸の高層階トイレは、何とガラス越しに皇居のほうへ向けて失礼する。沖縄では今帰仁《なきじん》城址前の土産店のトイレは開放感にあふれたもの。女性用はどうなっているのだろうか。最近出来た那覇パラダイス通り沿いの公衆トイレは、とても美しく、グッドデザイン賞に輝いた。イス、テーブルも組み込まれ、一休みしたくなるほどだ。

四八 天使のはね

ネーミングによって、イメージは随分違う。鉄道でも、秋田内陸縦貫鉄道といった堅いものから、ゆりかもめ、ゆいレールのような優しいものまである。最近は路線名に愛称を付けるようになり、「万葉まほろば線」とか「奥の細道最上川ライン」などという呼び方をされるようになった。馬肉の桜鍋、猪肉のぼたん鍋などはなかなか風情がある。

沖縄に「天使のはね」という新しい菓子が生まれた。袋入りでフワフワした形状と食感が珍しく、まさに天使の翼を思わせる。ネーミングとしてはとてもいい一品だろう。天使は神の使いで翼をもち、人を導く。キューピーも愛の羽根を持つ。北の海に住むクリオネも、羽根をゆらして泳ぎ、流氷の天使と言われるが、貝の一種だそうだ。

「天使のはね」は、実は沖縄塩せんべいを焼くとき、型からはみ出したカスだった。沖縄の塩せんべいは、米粉を使わず小麦粉を練り、丸い型に入れて焼く駄菓子だが、そのとき出る産業廃棄物を活かしたものなのである。それを捨てずに売り出した。口に入れるとシュワーッと溶ける食感があとを引き、おやつやおつまみ、料理にも使われる。

せんべいには、草加系の醤油をつけた堅焼き、牛乳や卵を入れて板状に焼く甘味系、炭酸を入れた温泉系、小麦粉を練って焼く南部系、本当に堅いげんこつや瓦系などいろいろで、「せんぺい」と言うところもある。あられ、おかき、柿の種、濡れ煎餅などもその仲間か。沖縄塩せんべいは独特のものだが、強いていえば南部せんべいに近い。

産業廃棄物を活かすといえば、昔は廃物利用と言った。米ぬか、おから、酒粕などもその類いである。糞尿を肥やしにし、金属屑や紙くずを再生し、また廃油を発電やガソリンに変えて利用した。沖縄戦後のアメリカ時代に作られた、カンカラ三線や芸能小道具も必要から生まれたものだが、米軍が捨てたコーラの空き瓶を溶かして作り上げた琉球ガラスは、今や芸術品にまで高められている。

琉球王国にとって天使とは、中国から迎える冊封使のことを言った。当時絶大な大国であった中国は、天下の中心であり、東南アジアの宗主国であった。冊封諸国は中国に進貢し、国王が即位するたびに任命の認証を受けるのであるが、そのとき中国皇帝の使者として冊封使を迎える。琉球王も中国の冊封を受けて初めて諸国に正式に国王と認められ、貿易を行った。冊封使に翼はないが、天子の使いだから天使。久米村の中に「天使館」が設けられ、半年ほど滞在するホテルとして使われたのである。那覇の東町郵便局の横に天使館跡がある。案内板だけで跡形もないが大事な場所であった。読谷村むら咲むらに、NHK大河ドラマ「琉球の風」のロケに使われた天使館のモデルがそのまま残っている。その昔賑わった天使館を偲ぶことができる。

四九　行政オンブズマン

私は一九九五年から二期四年、沖縄県の初代行政オンブズマンを務めた。最初はこの制度のことをよく知らず、法律がらみの仕事はもう、とお断りした。でも何度も口説かれ、調べているうち、気持ちが変わってきた。法律でことを決めるのは裁判所。世の中には違法でなくてもおかしいことが沢山ある。オンブズマンは常識で仕事をすればいい。そう思ってとうとうお引き受けしたのである。

全国市民オンブズマン会議というのがあり、税金の無駄使いや役所の違法を糾すことをやっているが、これは私的なもの。公的な行政オンブズマンは、川崎市が早くから置いているが、県レベルでは沖縄県が全国初である。初代には方向付けの責任もある。当時の大田昌秀知事から委嘱の辞令を受け、県庁玄関脇に掲げられた大看板のある部屋で執務した。

ウルトラマンは正義の味方、オンブズマンは常識の味方である。県民の県行政に対する苦情を聴いて調査し、担当部局の言い分も聴いて、苦情がもっともであれば改善させ、県に相当な理由があれば県民に納得してもらう。県民の相談役であると同時に、県政のお目付役でもある。もう一人のオンブズマンは行政法の専門家だったので、私は常識だけを頼りに仕事することができた。

オンブズマン制度は、一八〇九年スウェーデンで憲法によって創設された。「護民官」という意味で、市民の代理人として苦情を受け、役所に是正を勧告したり、提言するのを仕事とした。欧米では広く普及しているが、日本には置かれていない。県からスウェーデンとイギリスへ出張を命じられ、オンブズマンの仕事ぶりを実際に見てきた。

在任中、首里城周辺の混雑緩和のほか、いろいろな案件を処理したが、それとは別に、県広報誌に、二二回にわたり「オンブズマンの誌上提言」を執筆掲載した。役人の兼職、危機管理、お役所言葉の解消、県立病院の対応など、身近な問題をわかりやすく取り上げたので、かなり評判になった。

沖縄県二代目の県令、上杉茂憲《もちのり》は名知事だったが、三女に「琉」と名前をつけたという。「琉」の字は、戦後本土の人名漢字表になく、復帰後の沖縄で名前に使えなかった。市民からの苦情が寄せられて私も初めて知ったが、人名表は国の仕事、県ではどうすることもできない。でも県民はこの字に格別の思い入れがある。権限はなかったが、オンブズマンとして法務局に人名表に「琉」の字を入れて欲しいと要請した。国も初めて知って驚き、異例の速さで追加、晴れて「琉」の字が名前に使えるようになったのである。琉太、琉一、琉子、琉美……。私の甥もそんないきさつを全く知らず、我が子に「創琉《そうる》」と名付けている。

五〇　沖縄を走る

昭和五五年(一九八〇)、私は沖縄に赴任してきた。沖縄の歴史、文化について、知らないことばかり。沖縄を肌で感じ知ろうと、島巡りとジョギングを始めた。鉄道がないからバスで朝早く那覇を発ち、名護、辺土名と二度乗り継いで辺戸岬まで行き、一人で那覇に向かって走る。疲れたらバスで帰り、次の区間はまたバスで行って走る一人駅伝だ。こうして那覇まで、西海岸をはじめ、東海岸、本部、与勝、知念半島などを走り通した。お陰で地名、琉歌、風景を知り、人とのふれあいを通じて、沖縄を肌で感じたのである。嘉手納基地の広さも実感し、南部戦跡も足で訪ねれば感慨もひとしおだ。

沖縄は暑い土地だけに、駅伝やマラソンはわりと弱い。でもＮＡＨＡマラソン、沖縄、伊平屋、尚巴志、ハーフ、トリム、トライアスロンと、走る競技が盛んなのは意外だ。私も移住後はもう走れないので、夫婦揃ってＮＡＨＡマラソンコースを歩いて楽しんだ。

宮里藍さんらの活躍もあり、ゴルフは盛んで、白い球が芝の上を走る。競馬場、競輪場のない沖縄にも、速さでなく風雅さを競う競馬ンマハラセーがあるし、自転車練習場もあり、自転車で走るツールドおきなわも回を重ねている。カーレースや海を走るサバニ。海は「海アッチャー」、歩くところか。もっとも、バスが歩く、と表現するのどかな地方もある。

沖縄にも昔は路面電車や馬車鉄道、ケイビンと呼ばれる県営鉄道などが走っていた。どれも県民に愛され親しまれていたが、電車や馬車鉄道は、後から走り出したバスとの競争に負け、動力の馬を軍馬に徴用されたりしてなくなり、ケイビンもまた戦火に消えていった。那覇駅跡地から機関車が向きを変える転車台の跡が発見され、赤レンガを積み上げた丸い土台が遺構として保存されることになった。

沖縄のような車社会では、どこへ行くのも車である。歩かないから健康にもよくない。北部をドライブして気分よかったという投書をよく見るが、ヤンバルクイナやヤマネコが轢かれて死んでいくようでは、世界自然遺産への登録もどうかな。本気で自然を守ろうとするなら、ヤンバルは歩くか走りたい。一般車両の乗り入れを規制し、公共交通と許可車だけが入れるくらいの覚悟が必要ではないか。スイスをはじめ世界の環境を重んじる観光地にはその例が沢山ある。鉄道でしか行けないところ、電気自動車、馬車、ソリなどに限っているところも多い。日本でも、知床や白神山地など車を野放しにはしていない。

車は排気ガスや騒音をまき散らすうえ、交通手段として一番効率の悪い乗物である。一台の乗車率も一・六人、県内一一五万台の車を縦に並べると、カムチャツカにまで達するという。駐車場も沢山要る。高齢化が進むと運転もできなくなる。車に代わる新しい路面電車を走らせたらと思う。

右・スウェーデン王国のオンブズマン室を訪ねる筆者〈49 行政オンブズマン〉

左・那覇市広報誌「市民の共」（2014年９月号）で「検証　50人が移動するのに必要な空間」という興味深い記事を見つけたので参考に〈50 沖縄を走る〉

50人の人が「１人乗りの車」で移動すると……
40

50人の人が「LRT（路面電車)」で移動すると……
40

撮影：公益財団法人とやま環境財団（富山県高岡市）

五一 源平物語

このところ、神話、伝説、史実の区別がつかなくなってきた。神話が崩れ、伝説が見直され、史実が怪しくなる。琉球史を賑わす護佐丸、阿麻和利の乱、本土の源氏と平家の興亡などは面白い。源氏物語は光源氏という主人公を扱った小説、平家物語は平氏の興亡を綴った物語で、全く別物である。平清盛を中心とする公家貴族出身の平家は、壇ノ浦の合戦で武家出身の源氏に滅ぼされるが、その後どうなったのだろうか。

琉球の源氏伝説は、源為朝の渡来である。伊豆に流された為朝は、漂流して琉球国運天港に上陸、大里按司《あじ》の娘と結婚、尊敦という子を生み、これが後の舜天王となる。為朝は妻子を残してヤマトに帰る。この話は、曲亭馬琴の『椿説弓張月《ちんせつゆみはりづき》』にも書かれて芝居となり、私も見たことがある。為朝上陸記念碑、為朝岩、テラブのガマ、牧港などの遺跡や、源の姓、朝の字のつく名、八幡巴紋など、沖縄には源氏の香りが漂っている。

一方、平家の落人伝説は日本全国各地に広く残っている。奥鬼怒、祖谷、椎葉などが落人の里として有名で、鳴き声を恐れて鶏を飼わないともいう。南走平家は九州から奄美にも達した。平資盛、有盛、行盛ら落人の話や、平森とか平家神社もあるそうだ。さらに平家は南下し、沖縄まで来ているという。

琉球は舜天王のころ大陸との密貿易が始まり、察度王時代には交易が盛んに行われている。未開だった国がなぜ突然に交易を始めたのか、誰かが教えたに違いない。武士あがりの源氏では無理、南走平家しか考えられない、という仮説である。平氏は君臨した時代から貿易に長け、西国の航海に通じた船頭を操っていた。壇ノ浦に敗れた平家は船頭たちに助けられて南走、琉球に至った。運天に上陸したのは、実は為朝でなく平氏であり、舜天はその血を引くものではないか、というのである。

現に平良《たいら》、平安座《へんざ》、平安名《へんな》、宮古の平良《ひらら》などの地名があり、百名、屋慶名、辺土名、嘉手納、そして阿麻和利など、何となく万葉仮名を思わせる。宮古、多良間、石垣、与那国などにも平家伝説が残っているという。南城市佐敷の小谷《うくく》もその一つではないかと耳にしたので訪ねてみた。そこには見事な石積みの塀、屋敷跡、井戸などが残っていた。雅《みやび》の首里王朝文化は、平家宮廷文化の流れなのだろうか。

源平合戦は、白と赤の旗で彩られる。紅白歌合戦、運動会の赤勝て白勝てなどに使われる。源氏の白は潔白を、平家の赤は官軍の印といわれるが、起源は不明だ。沖縄戦の映像によく出てくる「白旗の少女」の持つ白旗は、もともと軍使の印であったが、いつしか降伏の印となってしまった。日の丸も白と赤。白い天守閣をもつ姫路城、赤い朱で彩られた首里城正殿、どちらも美しい。

五二　スーマンボースー

北海道に行ってきた。住んだことはないが、鉄道乗り歩きで何度も訪ねている。冬は寒い。十勝《とかち》でマイナス二三度を経験したこともある。それでいて、夏は意外と暑いから不思議。でも初夏は気持ちいい、梅雨がないからである。

東京に住んでいると、じめじめした梅雨の時期がうっとうしい。梅雨前線が居座るからである。たまに梅雨晴れもあるが、早く梅雨が明けないかと待ち遠しかった。

北海道と沖縄は梅雨がないと聞いていたが、沖縄に来てみるとやっぱり梅雨がある。でも昔はあまり梅雨とは言わなかったそうだ。戦前は、小満芒種《すーまんぼーすー》といい、二四節季の立夏と夏至の間にある二つの季節を言った。低気圧の前線が停滞し、本土の梅雨とよく似た雨の多い季節である。沖縄で梅雨という言葉を使い出したのは、どうも戦後マスコミや気象台あたりではないか。梅雨入り宣言までしている。

沖縄では、二月の風ニンガチカジマヤー、うりずんという大地が潤う時期を経て、若夏《わかなち》という初夏の季節を迎えるが、そのあと夏至南風《かーちーべー》が来るまでの五月〜六月ころが小満と芒種に当たる。本土の梅雨より早く来て早く終わる。小満は温かい陽気に万物が満ちあふれ、芒種は禾《のぎ》という先のとがった稲や麦の穂の種をまく時期という意味だそうだ。本土の梅雨みたいに、じめじめした感じで受け止めない。強い雨も降るが、水を溜める大事な時期。梅雨とか言わなくてもよかったのではないか。

沖縄の新民謡「ふるさとの雨」は、赤瓦や石垣に稔りの雨が降る様子を優しく歌う。この時期、月桃《げっとう》の白く可愛い花が咲き、雨の降り続いた沖縄戦の悲劇を思い起こさせる。海勢頭豊さんの名曲「月桃」は感動的。ヤンバルではイジュの白い花が美しい。

雨の種類をこまかく分けて表すのは、日本の四季に関係する。俳句の歳時記にも季語としていろいろな雨が登場する。広重や北斎の版画にも雨の美しさを描いたものが沢山みられる。こぬか雨、村雨、しぐれ、夕立などなど。日照雨はそばえと読む。沖縄の片降《かたぶ》いはこちらに来て初めて知ったが、本当に道一つ隔てて雨と天気が分かれている。雨が上がれば虹。南大東島にはレインボーストーンという虹模様をした石がある。茶摘み、田植、雨で困る人、喜ぶ人、さまざまな人生模様が繰り広げられる。天気に恵まれる旅もあれば、雨に降られる旅もある。雨にも風情を感じたい。私達夫婦は幸い晴れ男に晴れ女といわれている。

世界には雨の全く降らない乾燥地帯があるかと思えば、毎年洪水に悩む国もある。東南アジアのように季節風モンスーンの吹く夏に雨季を迎え、冬は乾季となる土地もある。洪水、干ばつを繰り返し肥沃な土地になるのだ。

五三　金と銀

レハール作曲のワルツ「金と銀」は、舞踏会場の装飾のきらびやかさを描いた名曲。金や銀のメダルを狙うオリンピックも盛り上がる。日本は昔から金銀産出国として知られていた。金閣寺や金色堂、銀閣寺や石見《いわみ》銀山など、文化財として残っている。五月連休のゴールデンウィークやシルバーシートといった使い方もする。

琉球はもともと金銀にご縁のない国であった。鉱山としては、硫黄、燐、石炭程度であったし、暮らしには石や土、貝などが使われ、鉄は農機具や僅かな武器程度、また銅は貨幣として使われることはあった。察度王は倭寇やヤマトの船から鉄を買い取り、農機具を普及させたので、農民から慕われたと、おもろは伝えている。この王にまつわる森川《もりのかわ》伝説は、奥間大親という若者が水浴びしていた天女の衣を隠し妻にするところから始まる。生まれた子が後の察度王で、王になる前に住んでいた大謝名の家の竈や畑は、黄金で輝いていたという。貧乏なわりに人望のあったことのたとえで、おそらく金色に輝く夕日が染めたのだろう。その跡は黄金庭《くがになー》という拝所で、訪ねたことがある。キビの花は朝は銀色に輝き、夕日は金色に輝く。沖縄の夕日の美しさは格別である。

先ごろ浦添城跡から建物の装飾に使われた金の金具が出土した。また斎場御嶽《せいふぁーうたき》からは、チフィジンと呼ぶ聞得大君《きこえおおきみ》の祭祀に使われたと見られる金の勾玉が発見された。琉球も金銀文化に無縁ではなかったことが明らかにされつつある。王朝時代には、かんざしで身分を表した。王族は金、士族は銀、百姓は男が真鍮、女が木と決められていた。銀はナンジャといい、簪《じーふぁー》（かんざし）に使われた。泊高橋の袂にある「高橋節」の碑にも詠まれている。琉球と中国との交易には、硫黄、馬などと品物を交換するだけでなく、ヤマトから入った日本銀が使われ、唐の御買物と言われたとか。

ゴールデンシャワーに銀ネム、金門クラブに銀バス、金武町にギンバル、金城町に銀天街、金城ダムに一銀通り、金魚の琉金に琉銀などなど……。挙げればきりがない。南風原町黄金森《くがにむい》の陸軍病院跡もあれば、学童疎開船対馬丸の悲劇を描いた映画「銀の鈴」もあった。オオゴマダラのさなぎの金色の美しさもあれば、一本吊りカツオの銀色の肌も光り輝いている。大空の銀河ティンガーラは、沖縄の離島の旅の宿でこそ美しく見ることができる。そしてネーネーズの名曲「黄金の花」はいつか散る。黄金に眼がくらまないことを祈りたい。

最近沖縄の海底から、海洋研究開発機構により、金銀銅亜鉛を含む大量の物資源が発見されたという。場所は伊是名島の沖合で、有望な資源だそうだ、沖縄の金銀、ここへ来て夢が大きく広がった。

五四　最初はン

じゃんけんは、日本の江戸から始まったといわれる。簡便な勝敗の決め方で、グーが石、チョキが鋏、パーが紙、三すくみの拳法が元になっている。「最初はグー」を言い出したのは「8時だヨ！全員集合」の志村けんだ。

日本にはいろは歌がある、いろは四八文字を一字ずつ使ってまとめ、人生の無常までも詠み込んだ秀逸の作である。でもンは、のけものにされている。しりとり遊びでも、最後にンがついてはダメという決まりがある。最初にンで始まる言葉がほとんどないからだ。でも沖縄では困らない。最初にンがくる言葉が沢山ある。ドゥ、ファ、フィといった、日本語にない、あるいは使われなくなった発音がまだ生きている。もっとも秋田にはンダ(そうだ)という言葉や、フィの発音が残っている。

沖縄でよく使われるのがンム。芋のことで、野国総官が一六〇五年に甘藷の苗を中国から持ち帰った。儀間真常がこれを広め、琉球の飢饉と食糧不足を救った。これが薩摩に渡り、さつまいもと呼ばれるようになり、青木昆陽によって全国に広まった。沖縄や熊本では唐芋といい、戦後の最近まで主食として使われた。読谷の紅芋は甘藷の一種である。ンムクジは芋の澱粉、ンナシルはこれという具の入っていない汁。ンムの茎を汁にしたムジ汁はよく好まれる。ンブシーは、野菜を中心に豆腐などを炒め味噌で煮たもので、これもおいしい。今では養殖ものが多い海ぶどうも、かつては宮古島特産の天然食材で、ンキャフと言っていた。ンナクルマは空車のこと。

馬はンマ。競馬のンマハラセーとかンマスーブのように使う。ンマリは生まれ。ンマリジマとかンマリドゥシといった具合。昔話の出だしはンカシンカシから始まる。動くことをンジュチュンと発音されると、もうさっぱりである。

ンタマギルーあるいはウンタマギルーは、運玉義留と書く。王朝時代、西原と与那原の境にある運玉森《うんたまむい》に住んだ義賊である。金持ちから金を奪い、庶民に分け与えたという。沖縄版の鼠小僧やルパンといったところか。沖縄芝居の人気演目であったが、沖縄出身監督高嶺剛の映画「ウンタマギルー」で全国にも知られるようになった。子分の油喰坊主アンダークエボージーに油を盗ませ小手調べをした。幸地殿内や首里城から、高貴な枕を盗んだともいわれる。

枕は、人生三分の一はお世話になるもの。箱枕、木枕、竹枕、ゴザ枕、陶器枕、空気枕や水枕などがある。沖縄ではマックヮという。ウメーシマックヮは箸置きのこと。海人が使うフゾーは箱形の枕で、タバコも入り、舟が転覆しても水が入らない。私が原作した創作琉舞「さがりはな風」は、内間《うちま》御殿《うどぅん》で盗まれた枕の話がヒントになった。

五五　チャンポン

沖縄の大衆食堂、おきなわんレストランは、あまりきれいな店ではないが、中を覗くとメニューが一杯貼り出してある。沖縄そば、煮付け、しょうが焼き、チャーハン、白身魚フライ、かつ丼からステーキまで揃えた店もあり、和洋中琉と、実に壮観である。老若男女に子供まで、家族それぞれ好きなものを注文し、賑やかに楽しんでいる風景は微笑ましい。本土のイメージと違う形で出てくるものもある。黄色いカレー、野菜タップリのカツ丼、ふわふわ天ぷらの天丼、平べったいえびフライなど。刺身定食には天ぷらが、天ぷら定食には刺身がついてくる。主役が違うだけなのだ。

メニューには「チャンポン」がある。豊富な野菜にポークや肉などを炒め、卵でとじてご飯にかけた定番のメニューである。箸でなくスプーンで食べる。栄養満点でバランスが良く、おいしい県民食だ。観光客がこれを注文すると「麺ではないがいいか」とか「沖縄式よ」と念を押されることが多い。チャンポンといえば、本土の人は長崎ちゃんぽんという麺だと思ってしまうからである。

ちゃんぽんというのは、長崎が発祥の地である。中国留学生のために、安くてボリュームのある食べ物を、と中華料理店四海楼の主人が発案したものといわれ、野菜、豚肉、かまぼこ、イカ、エビ、きくらげなど豊富な食材を炒め煮にし、たっぷりのスープとちゃんぽんめんという太めの麺を一緒に煮込み、丼に盛り合わせた豪華な庶民の味である。ラーメンやうどんとも違う。語源はポルトガル語のチャンポンであるとか、中国福州で食べられる軽食のしゃんぽんであるとか、中国のチャンと日本のポンとを混ぜ合わせたものだと諸説あるが、ごちゃ混ぜにした、という点ではチャンプルーにも通じるものがある。

長崎は、鎖国日本の中で、唯一海外貿易を続け栄えた港町である。戦国時代にはオランダ、その後中国との文化交流もあった。貿易の収入の一部は「かまど銀」といって、住民に戻されたという。文明開化に当たっては、多くの知識人が江戸から遠い長崎に出かけて学んだ。戦前は九州一の文化都市といわれ、上海航路が大陸を結び、世界に目が開かれていた。本土の中では一番、沖縄と通じるものが多い街である。

ハーリーに似たペーロン競漕ではドラの音が響き、中国式お盆の行事では、豚の頭を供え爆竹を鳴らし、先祖を敬う精霊流しが行われる。神社の祭りには龍が舞う。円卓に並べた皿のご馳走を囲み、みんなで取り合って食べる卓袱《しっぽく》料理、中国文化を繁栄させた唐人町は、まさに久米村《くにんだ》。教会と神社仏閣の入り混じりなどなど。チャンプルー文化ならぬちゃんぽん文化がある。長崎で生まれたトルコライスを食べながら、ふと沖縄のタコライスを思い浮かべた。

五六

飛衣羽衣

「とびんすはにんす」と読む。天女のはごろものことだ。歌劇「リゴレット」の中の女心の歌は、羽根のように軽い女心を歌っている。松崎煎餅の夕霧や福井の羽二重餅、沖縄には天使のはねのような軽いお菓子がある。羽根ペンや羽根布団、日本の裁判官が着る法服も黒羽二重で軽い。あほうどりの羽毛の下に生える柔らかいむく毛はダウンとして重宝される。この鳥は北太平洋ベーリング海と、伊豆の鳥島、沖縄の尖閣諸島だけに生息する。鳥島のあほうどりは、漂流したジョン万次郎の命を救ったが、その後の乱獲で絶滅の危機に瀕した。そのため玉置半右衛門は砂糖キビと燐鉱石を求めて大東島の開拓に転身したといわれている。折鶴は平和の象徴、民話「つるの恩返し」は身を削った千羽織りの物語である。

民話・伝説といえば、天女と羽衣が有名だ。天女が羽衣を身にまとい、地上に降り立って水浴びをしているうちに羽衣を隠される。隠した男と結婚し、子供も生まれるが、やがて羽衣を見つけ、これをまとって天に帰って行く物語である。全国あちこちにあるが、滋賀余呉湖の伝説が最も古いとされる。丹後、倉吉、千葉などにもあるが、一番有名なのは静岡三保の松原であろう。私も一度訪ねたが、三保に行く国鉄清水港線は、一日に下り一本、上り一本という、超過疎のローカル線であった。羽衣伝説は七夕や白鳥伝説ともつながりがあるといわれ、海外にも似たような民話伝説があるという。

組踊の「銘苅子《めかるしぃ》」は、能の影響を受けてはいるが、まさに沖縄の羽衣伝説を美しく描いたものだ。県内には与那原をはじめ、あちこちに羽衣伝説が残っているが、宜野湾森川の天女伝説は一番よく知られている。美しい石積みの井戸《かー》から湧き出る水は、水浴びの舞台にふさわしい。天女は琉球政府時代の航空切手にも描かれている。平和祈念像の作者、山田真山さんが描いたもの。天女は白鳥と同一視されるほどで、肌は当然白く美しいと思っていたら、実はそうでなかった。コンベンションセンター前十字路の脇、小さな緑地を飾る察度王一代記のカラーレリーフにその答えがある。沖縄の天女はどこからきたのだろうか。身につけた羽衣は、羽二重か芭蕉布かチマチョゴリか、それともバティックか。想像を広げていくと面白いではないか。

森川の天女と羽衣を隠した若者の奥間は、後に勝連の按司の娘と結婚、二人の間に生まれた子がその後、琉球国の察度《さっと》王になった。倭寇から鉄を手に入れて農機具を造り、庶民に与え、善政に尽くしたという。天女の物語は、このようにめでたく展開するが、全国に数ある羽衣伝説でも、王まで生まれたのはここだけだろう。宜野湾のはごろも祭りには「飛衣羽衣《とびんすはにんす》カチャーシー大会」があり、天女もびっくりするほど賑わっている。

五七　ダンパチヤー

羊の毛は刈り取らないと膨れて動けなくなるという。人間も髪、髭などは、自然に生やし放題にすると、古代人のようにどんどん伸びてしまう。これを刈り揃え整える知恵が生まれた。平安、江戸と時代が進むにつれ、髪形も変化した。さかやき、ちょんまげ姿で過ごしてきた日本人も、明治初頭の断髪令で髪形が自由になり、髪を切って刈り揃えるザンギリ頭が流行した。明治天皇が率先したので、文明開化の音がする、とはやり言葉に歌われたほどである。

琉球時代、成人男子の髪形はカタカシラ、男児の髪形はカンプーといった。女子の髪形はカンプーでなく、ウチナーカラジと呼ぶのが正しく、それにも辻結いとかアングヮー結いとかの区別があったと、故川平《かびら》朝申さんが教えてくださった。女児の髪はハーユイといったそうだ。国王の御後絵《おごえ》を始め、古い絵や写真には立派な髪を結い、髭を生やした姿が残っている。ペリーを相手に一歩もひかず対応した牧志朝忠の髭の立派なこと。庶民はどんな髪形をしていたか。琉球処分後急速にヤマト化したものと思われる。

髪を切り整えるのは、男女とも必要で、床屋、理髪、理容、沖縄にも断髪《だんぱち》を業とする者がいた。ダンパチヤーである。刃物を使うので、大事な職業であった。セビリアの理髪師フィガロのように街の人気者でもあった。看板のアメンボの赤と青は動脈と静脈を表し、何となくハイカラで、私も子供のころは坊ちゃん刈り、やがて丸坊主になった。戦時中は男女とも長髪禁止の悲しい思い出がある。戦後七／三に分け、その後はハゲたが、断髪料金は変わらない。髪一本の単価が高いからだろう。昨今は男も美容院に行くようになった。

渡名喜島には床屋がなく、島民が那覇まで散髪に来ていたが、最近月に一度、茨城県の理容師が高速バス、航空機、船を乗り継いで島に来てダンパチをしてくれている。ハサミのあるカニを擬人化した「あんぱるぬみだがーま」は八重山の楽しい民謡である。

髭も生える。海賊首領、サンタクロースなど。カイゼル髭はウィルヘルムⅡ世から始まった。Ⅰ世は博愛の碑を宮古島に贈った王だ。八の字髭は権威の象徴。幕末や明治維新、戦時中の軍人によく見られた、口ひげ、ちょび髭はチャップリンにヒトラー、戦前は日本紳士もよく生やした。私の父も一時ちょび髭を蓄えていた。仙人髭、どじょう髭、あご髭など髭の手入れも男の朝の一仕事だ。私は電気かみそりでなく、石けんとブラシを使っている。ドイツ製の立派なブラシでも五〇年、毎日使っているとすりきれてくる。

髭は個性的で、あごひげもよく手入れすればいいが、無精髭は見た目にも汚い。タレントや芸術家はともかく、私の好みからすると、医師と料理人の髭は清潔感に欠け、どうもいただけない。

五八　沖縄のマスコミ

私は小学生のころから「石田新聞」という家庭新聞を作っていた。当時は珍しく、戦時中疎開や戦災で離れた親戚にも回覧し、消息を伝えた。妹の長崎原爆体験記『雅子斃れず』が出版されたのもこの新聞の連載からである。戦時中は、大本営発表という言論統制があり、戦後は進駐軍による検閲があって、自由にモノが言えない時代が続いた。

現役時代は、判決をすると新聞に報道された。著名事件はとくに大きく扱われる。法廷内のテレビ撮影が問題になり対立したこともある。国会中継と違い、真実を突きとめる大事な場であって、微妙な心に影響しないための配慮なのだが。それでも一日駅長、国鉄完乗、鉄道の旅など趣味の世界ではよくマスコミに取り上げられた。定年と同時に沖縄に移住したときも、生き方に興味を持たれたのか、全国紙に大きく報道された。

沖縄では、一八九三年に琉球新報が発行されるが、沖縄戦で壊滅した。戦後復活するまでの歴史は、那覇の「新聞博物館」が優れた展示をしている。現在、琉球新報と沖縄タイムス二大地方紙の活躍ぶりは目を見張るものがある。本土紙の参入を簡単に許さないほどだ。ことに芸能の育成には競って力を入れている。活字の大きさ、離島や外国を扱う地方版、英文の記事など、特色があるが、グローバルな見方、本土との温度差解消、基地問題を訴え続ける努力は立派。読者委員会、投書寄稿欄にも力を入れている。

沖縄にラジオが開局したのは一九四二年だが、戦時中は機能停止。戦後米軍のラジオから放送が始まり、民間局が一九五〇年に、民間のテレビ局が一九五九年開局している。一九七二年の本土復帰時に開局したNHK沖縄よりも早かった。有料でテレビを見るなんて、NHK料金不払いが全国一なのもそこに原因がある。南北大東島にはテレビ電波が届かず、ビデオを送ったり、東京の小笠原経由で放映するなどしたが、今は解消された。

私もNHK沖縄で「おきなわチャンプルー」「太陽《てぃーだ》カンカン」、民間では「ウチナー紀聞」のほか「情報コンビニ」「じょーとーTV」などに連続出演した。バラエティ番組の相出演者と仲良くなったり、生放送や収録のリハーサル、裏方の苦労などを肌で知った。

「沖縄大好き」では、キャスターの故玉城朋彦さんとヨーロッパの路面電車を取材して三〇分番組で三回にわたり放映した。まだ現代型トラムが知られていなかったころの放映で、話題になった。またQAB琉球朝日放送の番組審議委員を長く務め、スポンサーと視聴率、放送倫理などの問題を考える機会もあった。

車社会の沖縄では、意外とラジオ放送がよく聴かれる。民謡や方言ニュースなど、聴いているだけでも楽しい。

五九 のうまんじゅう

暑い夏は、お化け屋敷とか、ゾッと寒気のするような怪談話が好まれる。牡丹灯籠で足がないはずの幽霊にカランコロンと下駄の音を響かせたのは、落語の名人円朝だが、落語界初の人間国宝、先代柳家小さんの話もよかった。彼が演じると「まんじゅうこわい」という前座噺も活き活きとして、ほんとうにお茶が欲しくなるから不思議だ。饅頭とお茶はもともと縁が深い。

饅頭はマントウ、古く中国から僧侶とともに渡ってきたお菓子で、小豆餡を皮で包んで蒸した代表的な和菓子である。各地温泉饅頭のほか、酒饅頭、栗饅頭、紅葉饅頭、薄皮饅頭、焼き饅頭まで巾は広い。栃木県のレオンという会社が、手作り饅頭そっくりに作り上げる高度な機械を開発した。一度見学したことがあるが、饅頭の餡を真ん中にちゃんと入れたり、肉饅頭のひねりまで機械がやってくれる。饅頭の仲間にはアンパン、大福、どら焼き、人形焼き、大判焼きの今川焼きなどがある。糸満白銀堂《はくぎんどう》で「ンマガーヤーチ」と書いた看板を見たことがある。土饅頭はお墓、押しくら饅頭は子供の遊びであった。

沖縄にも三名物饅頭がある。一つは「のうまんじゅう」。もとは儀保駅近くの盛光寺境内で売っていたので儀保まんじゅうともいう。今は首里久場川町に移った。中華の餡饅に近いものだが、大きな白いふっくらしたまんじゅうの上に、筆で大きく赤い「の」の字を書くので、のうまんじゅうと呼ばれている。「の」は熨斗《のし》からきたもので、お祝いごとにはもってこい。皮の柔らかさやふくらみ具合といい、餡の穏やかな甘みといい、質量感たっぷりの饅頭である。一つ食べたらおなか一杯になること請け合い。昔は首里へ行った証しになるほどの土産であったが、今ではあちこちの菓子店でも買えるようになった。

山城饅頭《やまぐしくまんじゅう》は、首里龍潭通りに店を構える。月桃の葉にくるんだ平べったい饅頭は、薄味の餡でサンニンの香りが強い。人気がありよく売り切れる。

天妃《てんぴ》ぬ前《めー》まんじゅうは、那覇泉崎のペーチン屋が作っている。戦前は久米の天妃宮前で売っていたので、その名前がついた。黒糖と、はったい粉を混ぜた餡を平たい皮で包んだ上品な饅頭である。天妃は中国の媽祖《まそ》という航海安全の女神で、進貢船や御冠船《うかんしん》など、唐旅の往復に当たっての信仰が厚かった。

本土では、何か祝い事のあるときには赤と白の紅白饅頭が、葬儀や仏事などには緑か茶と白といった控えめの色の饅頭が使われる。沖縄も一般にはそうだが、九〇歳、一〇〇歳と天寿を全うした方の葬式、法事には、紅白の饅頭が配られることがある。ここまで長生きしてその後生《ぐそー》行きは、めでたい行事だからという感覚だ。いかにも沖縄らしい、すごい風習ではないか。

六〇　ヒストリート

　鉄道乗り歩きをしていると、久米、松山、泊、辻、泉崎など沖縄の地名みたいな駅名に出会う。紀勢本線の「古座」(コザ)もその一つ。明石家さんまの出身地、第五福竜丸進水の地でもある。沖縄のコザ市は、全国唯一カタカナ地名の市だったが、沖縄市と名前を変えた今では、胡屋《ごや》の十字路が中心となり、どこがコザなのかよく知らない人も多くなってきた。基地から生まれたこの街には、独特の歴史がある。

　沖縄戦が終わり、一九四五年九月七日に嘉手納基地の中で、宮古島から納見《のみ》中将を迎え降服文書調印式が行われた。その場所には記念碑が建ち、私も一度訪ねている。米軍住宅地の一角、静かな緑地の中に、星条旗の星と、日の丸の円をモチーフにした記念碑が建っており、降伏文書の全文が刻まれていた。沖縄にとって、最も大事なスポットである。このときからアメリカ依存の街と歴史が始まった。

　本土復帰前、初めて訪ねたコザの街は、基地と横文字の店ばかりで、その賑やかさには目を見張った。コザ暴動直前のことで、悲しい宿命に翻弄されながらも、逞しい力強さがあるのを感じた。古い歴史をもつ越来《ごえく》グシクのある越来村と美里村を合併し、沖縄市となってからも、しばらくはその状態が続いた。戦後沖縄芸能の発祥地でもある。

復帰後、私が沖縄に赴任したころもまだ那覇とは違う独特の空気が漂っていた。基地に続くゲート通りや、今パークアベニューになっているセンター通りには、外国人向けの店やレストランが建ち並び、日曜や給料日のペイデイには、軍人軍属と家族で賑わい、外国の街みたいだった。ニューヨークレストランを始めドルの使える店や、独特の雰囲気をもったホテルなども多く、那覇からよく遊びに出かけた。パルミラ通りからゲート通りに移った「ヒストリート」資料館は、歴史のヒストリーと街のストリートを組み合わせた名前で、降伏調印式の写真を始め、この街の歴史をよく伝えている。

ところが最近の沖縄市、元気がない。もともとエイサーや芸能、音楽や本場のロック、ライブハウスなど盛んで、ミュージックタウンといわれているのに、一番街、銀天街などシャッターを下ろしたまま暗い状態が続く。北谷のアメリカンビレッジに人を奪われている。基地のイメージを消したいという地元の心情はよく判るが、基地から生まれた街が基地色を失うと特色が消え、魅力がなくなり寂れてしまう。夜のライブも、車社会ではお酒が飲めず、那覇からはバスも不便で、代行やタクシーは高い。

街を元気にするには、いっそ開き直って本物のアメリカ色あふれる街づくりをしてみたらどうだろう。そして那覇とのアクセスを充実させることだ。現代型路面電車が一番欲しい町でもある。

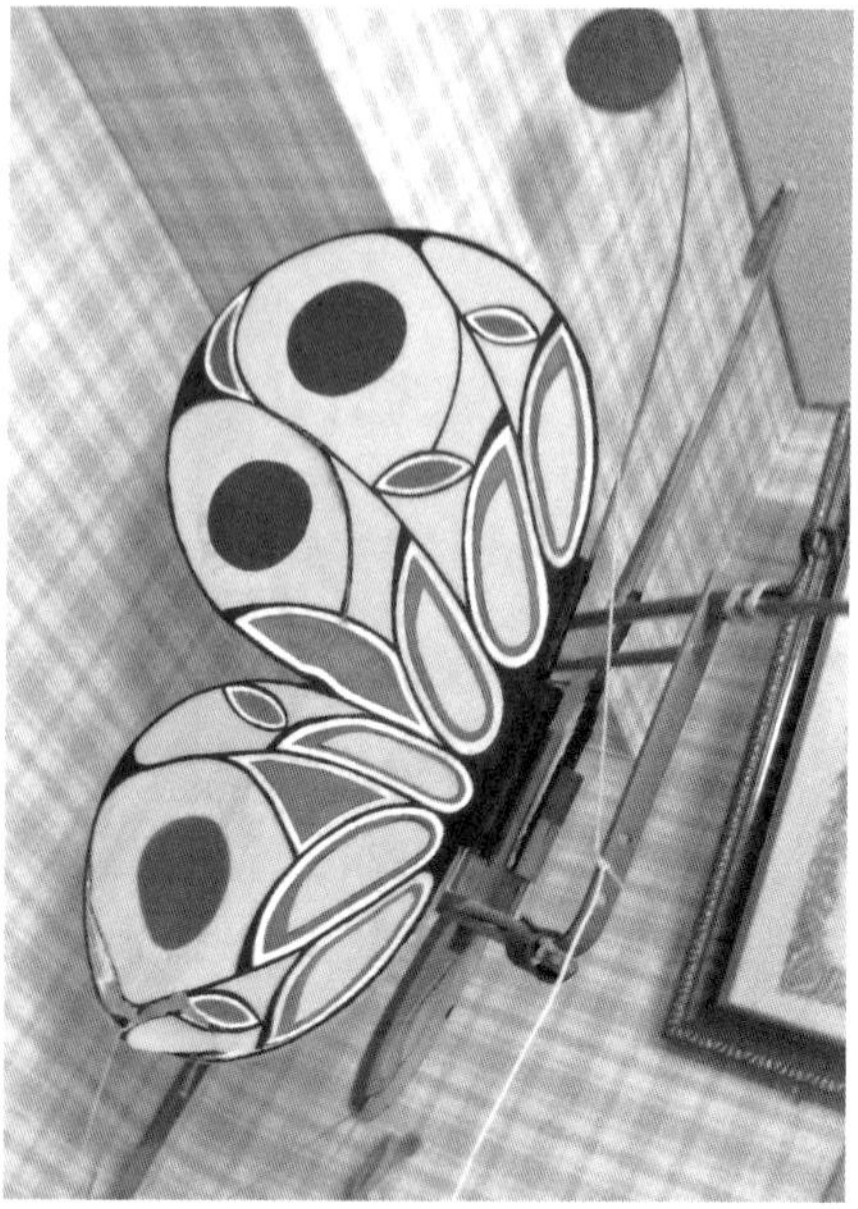

上・のうまんじゅうにあやかる。ゆいレール10周年記念まんじゅう
〈59 のうまんじゅう〉

下・筆者宅の凧のアクセサリー、風弾。埼玉県在住のウチナーンチュ作品
〈68 ハベルが舞う〉

沖縄戦降伏調印式跡、嘉手納基地内。筆者が現役時代に訪ねる〈60 ヒストリート〉
（写真・筆者所有）

六一　マジムン除け

災害が多い。天災、人災、病気、テロ、パイプ落下……。戦時中は千人針を作り武運長久を祈った。神社仏閣のお守りも災いを避ける。合格祈願の入場券やおまじないも心の支えになる。ちちんぷいぷいとか、地震のまじない「キョーチカ・キョーチカ」も。目に見えず、得体の知れない魔物マジムンから身を守ろうとするのは、ごく自然のことだ。

本土では狸は化ける、狐は化かすというが、沖縄にもマジムンがいる。妖怪、妖精、幽霊、お化け、化身、鬼、大蛇などなど。キジムナーは北部ではぶながやと言い、赤い髪をした子供で、ガジュマルの樹に棲む。海を歩き魚を採るのがうまく目玉が大好き。胸を圧迫されたという人が何人もいた。フィーダマは火の玉で鬼火。ウワーグワーマジムンは豚の化け物で、股を潜られると魂が抜けるそうだ。牛やあひる、古い杓子も化けるという。幽霊《ゆーりー》や遺念火《いにんびー》が真玉橋《まだんばし》や識名坂、七つ墓などに出る話は今も伝えられ、芝居にもなっている。わらべ唄の耳切坊主も考えると怖い。

シーサー、石敢當《いしがんとう》、水字貝《すいじがい》、ヒンプン、どれもマジムン除けだ。観光バスガイドがそれを話したら、観光客が「沖縄にはそんなに魔物が多いのか」と驚いていた。シーサーの中でも村獅子は火伏せの役目を果たす。県内に一〇〇もあるそうだ。シーサーを盗んだら災いが続き、また元へ戻したという話もある。マジムンは真っ直ぐにしか進めないから、石敢當をT字路の突き当たりに置く。ヒンプンもまた魔物の侵入を防ぐ。

すすきの葉を十字に結んだサンというのがある。これも一種の魔除け、清めで、食べ物をやりとりするときに添える暮らしの風習だ。大きいものはゲーンといい、家や田畑、暗い夜道などで魔物を防ぎ身を守る。

塩もまた清めに使われる。体や土地、場所を清め、拝みにも使われる。与根のマースは昔から重宝された。小袋に入れて持ち歩くと魔除けになるという。本土でも清め塩の風習がある。土俵で力士が塩を撒くのもその現れである。

最近、車という新しい魔物がはびこってきた。車は便利で、暮らしに欠かせないものだが、使い方を誤ると、すぐ凶器に化ける極めて危険な道具だ。電話やスマホより包丁や銃に近い。スピードを出し、道路をわがものにし、狭い小路スージグヮーまで忍び込む。このところ運転者の要らない自動運転の車まで出来て、歩行者はいよいよ危険で恐ろしくなってきた。シートベルトもエアバッグも、車に乗っている人を保護するもので、ぶつけられる歩行者には何の役にも立たない。この恐ろしいマジムンを除ける「石敢當」のような優れものはないのだろうか。今のところ、自分の身の危険は自分の注意によって防ぐしかないのである。

六二　沖縄からの旅

沖縄は、国内、海外からの観光客で賑わい、旅の目的地になっているが、沖縄から外へ出る旅も考えてみよう。昔のヤンバル旅や那覇旅、離島への旅は厳しいものだった。道路が整備されていなかったり、フェーレーというおいはぎに襲われたり、船が嵐に遭って沈んだりした。浜千鳥の唄がその心情を表している。

それにもめげずウチナーンチュは、海外に広く交易を求めて唐旅、ヤマト旅、ルソンやマラッカまで足を伸ばしていた。今は島内で車のドライブとバス旅行が盛んである。一般に離島に出かける旅は気が進まない。戦前のつらい経験から船旅が苦手なのだ。それでも高校進学のため生まれ島を離れたり、芸能やスポーツ大会の出場、本土への就職、留学、移住、移民を含めて、旅立つことが多くなった。また昨今はお年寄りの旅行が増えた。旅に出ると、暮らしから離れて非日常を味わい、見聞を通じて世界を広げ、リフレッシュして意欲を盛り上げることにもなる。健康が許すならば大いに勧めたい。

幸いウチナーンチュは航空機の旅に慣れている。まずは本土だろう。沖縄にない風物へのあこがれは強い。立山、阿蘇などの名山、那須や信州の高原、祖谷渓《いやだに》や黒部渓谷、北の大地北海道などをはじめ、京都や奈良、金沢などの街歩き、本格的な温泉巡りも楽しい。四季がはっきりしていて、雪、桜、紅葉などを鑑賞することもできる。本土には派手な電車や列車が沢山走っている。乗り方が判らないという不安もあるが、そこは外国と違い言葉が通じるので、小さな冒険くらいはしてみよう。トラブルも天気も旅のうち。どうしても心配なら旅行社のパックツアーを利用すればいい。何より荷物の移動が楽で、宿やグルメ、トイレ休憩まで行き届いている。

沖縄は東南アジアの国々に近いから、海外にも出かけよう。台北は石垣島ほどの感覚で遊びに行けるし、国際線乗り継ぎが本土に行くよりずっと便利なので、私も利用したことがある。上海は福岡、ソウルは関西、香港は東京、ベトナムは札幌とほぼ同じ距離にあるから、本当に近いと思う。ウチナーンチュが、パスポート、言葉、お金や風習の違いなどにわりと平気なのは、大交易時代や、アメリカ時代を乗り越えてきた強みだろうか。

昨今は、巨大クルーズ船がしばしば寄航するようになった。船を眺め、お客を迎えるだけでなく、こちらもこれを利用して出かけよう。昔の船と違い、ほとんど揺れないし、高齢者でも楽に旅が楽しめる。料金も手頃になってきた。海外では健康と治安が問題になるが、テロはともかく、自分自身の注意次第。足腰の立つうちは旅に出て、世界を広げ、長寿を目指そう。

六三　沖縄てんぷら

子供のころ東京小石川で育った私には、近所の蕎麦屋から出前してもらう天丼が一番のご馳走だった。香ばしいごま油で黒めに揚げたエビの天ぷらを、甘辛いタレにサッとつけてご飯の上にのせてある。衣のわりにエビは小さかったが、味は絶妙だった。その後天ぷらもよく食べるが、天丼のおいしさは天ぷらとは別で、天ぷらがおいしくても天丼がおいしいとは限らず、その逆のこともある。

「天ぷら」「てんぷら」「天麩羅」などと書く。もとは江戸のファストフード、えび、キス、イカ、メゴチ、ギンポウなど、江戸湾でとれた魚がタネであった。あなごの一本揚げは見事、小エビ、小柱を混ぜたかき揚げも、熟練の技が必要である。浦安から乗り込む網打ち船で揚げたスズキやボラ、自分で釣ったワカサギやハゼの天ぷらの味は忘れ難い。高級天麩羅屋や関西では、上品に菜種油、サラダ油、オリーブや椿油などで揚げた白い衣の天ぷらが好まれるが、東京のゴマ油で揚げた香ばしいものには及ばないと思う。玉葱、レンコン、なす、人参、ゴボウ、春菊などの野菜や、タラの芽、きのこなどの山菜をタネにしたものは精進揚げと呼ばれた。すべて薄い衣のサクサク感が命である。

ところが沖縄の天ぷらは全く違う。衣を厚くフワフワに揚げ、味がついているからスナック感覚でモリモリ食べる。これがまたおいしい。魚、イカ、いんげん、芋などが主流で、魚は何でもよく、その日の都合でマグロ、カジキ、サワラなど。もずくの天ぷらは沖縄独特で、よく揚がるものだと思う。暑い気候でも油で揚げれば長くもつので、人気料理の一つである。沖縄戦直後は油がなくて燃料で揚げたのを食べ、おなかをこわしたそうだ。

沖縄の天丼には、名産の養殖クルマエビを使ったものや、ゴーヤー、オクラ、カボチャなども入ったりして、一般に量が多い。ただ天つゆをたっぷりかけるので、丼の底がビショビショになる。揚げたての天ぷらを濃いめのタレにちょっとつけ、しっかりしたご飯にのせた本格的な天丼好きにはどうも物足りない。

砂糖てんぷらはサーターアンダギー。沖縄版ドーナツで日持ちが良く、復帰のころ子供の就職や留学先の本土に小包で送り、懐かしさに涙するほど喜ばれたとか。

徳川家康は、駿府静岡に隠居したあと、鷹狩り先で鯛の天ぷらを食べて命を落としたという。長崎地方ではさつま揚げのことを天ぷらと言う。天ぷらのタネもいろいろで、もみじの葉、キャベツ、バラの花、バナナ、アイスクリームまである。

天ぷらは、うわべの衣と中味が違うので、ニセものやメッキものなどのたとえにも使われるが、一方で最近、天ぷらを揚げたあとの廃油を燃料にする技術が生まれた。自動車が天ぷらで走るなんて面白い。

六四　乾杯の音頭

沖縄本島北端の辺戸大川《へどうっかー》で、正月の若水を汲む行事を見たことがある。琉球王朝時代の行事を復元したものだが、年末ここで汲まれた水が首里へ運ばれ、王府に献上されて、正月を祝ったという。御万人《うまんちゅ》の中でも若水を汲む風習がある。

正月には、宮中祝宴をはじめ、新年宴会が多いが、宴席ではまず乾杯が行われる。先日の沖縄観光新春パーティーでも、知事らによる鏡割りに続き、市長が乾杯の音頭をとった。鏡割りに使うこも被りの酒樽は泡盛だったが、これはヤマトの影響か。

祝宴につきものの乾杯は、主催者か指名した者の音頭によって、参会者一同で酒の入った盃を上げる儀式である。グラスやコップ、盃などを互いにカチンとぶつけ合うことが多いが、掲げるだけで当てないのが正式だそうだ。飲み干すのは建前で、口を当てて真似をするだけでよい。それぞれのしきたりによればよく、これで宴が始まるわけ。

欧米の習慣が根付いたこともあるが、もともと日本にも古代から神酒による儀式はあった。三三九度の盃やお屠蘇の風習にその面影を見ることができる。沖縄の結婚披露宴で行われた「水合わせ」の儀は珍しかった。新郎が出身地八重山の酒を、新婦が出身地宮古島の酒をそれぞれ一つの甕につぎ込み、ブレンドされた酒を互いに酌み交わすというものである。琉球王国の正月に、辺戸から運ばれた水と、浦添沢《たくし》岻で汲まれた水とを合わせ、王府に献上する儀式にあやかったものらしい。沖縄にふさわしいセレモニーで、感銘ものであった。

音頭の掛け声は「カンパーイ」、英米では「チアーズ」、ドイツは「ブロースト」、スウェーデンの「スコール」、南米の「サルー」など。ポルトガルやブラジル、フランスでは、路面電車のように「チンチン」というそうだ。中国、台湾は「カンペイ」。琉球時代には掛け声はなかったようだ。「ハナハナ」といったとの話もある。最近使われるのが「カリー」「カリーサビラ」。ゆいレール社長だった比嘉良雄さんの提唱で、今広がりつつある。

宮古島の風習「オトーリ」は、一人一人が口上を述べて泡盛を飲み干し次々に盃を回す独特の乾杯方法だ。水で薄めてはあるが、若者の一気飲みは危険でやるべきでない。不祝儀のときは乾杯といわず「献杯」という。

さて乾杯となったとき、指名された者の前口上、これがまぁ長いこと! 沖縄ではとくにひどい。ひとことと言いながら五分もしゃべる。これだけは絶対にやめて欲しい。来賓挨拶や祝辞とは違う。みんな同じような話しが続き、参列者一同、もううんざりしてお腹をすかせ待っているのだから。一切の無駄を省き、本当にひとこと、せいぜい二〇秒以内にとどめて、早く乾杯の音頭をとるのがスマート。

（写真・筆者所有）

辺戸大川、水取りの儀式。国頭村辺戸〈64 乾杯の音頭〉

六五　富士と桜

戦前、日本最初の特急列車についた愛称は「富士」と「桜」であった。日本一の富士は青と白、春の桜は赤と、色の配合も美しく、日本の美を代表する風物だったからである。初夢は一富士二鷹三なすび、外国人からはフジヤマと呼ばれ、歌劇蝶々夫人の舞台背景に富士が描かれたこともある。北斎の琉球八景にも富士が顔を出す。銭湯のペンキ絵も富士が多い。版画の品川沖や赤富士、横山大観、安井曾太郎の絵にも登場する。江戸時代、富士登山は一生に一度と言われ、富士講という摸合《もあい》まで生まれた。行けない人のために。江戸の各地に富士塚も作られた。品川、目黒、私の家の近くにも駒込、白山、音羽などにあり、ここに登れば富士に登ったのと同じ意味があるとされた。

上り《ぬぶい》口説《くどぅち》に「富士にみまごう桜島」の一節がある。薩摩富士と呼ばれる開聞岳でないのは不思議だが、全国には蝦夷富士、津軽富士、近江富士、讃岐富士、伯耆富士など、見紛う山が多い。沖縄にも富士がある。塩屋富士は地図にも載っており、この一帯には椿の花が美しく咲く。本部《もとぶ》富士の美しい姿は「らくら」誌二〇一五年五一号に紹介されており、八重岳からも遠望できる。西原富士とも言われる運玉森は、規模は小さいが、軌道口説に「富士に見間違う運玉森」と歌われている。

桜もまた日本人の心にふれる花として扱われる。吉野の千本桜をはじめ、全国に数知れない名所がある。花見も賑やかだ。上野、飛鳥山、隅田川、環三、弘前、角館、大島、大村などは有名だが、隠れた花見場所も多い。パッと咲いてパッと散る。大和心に通じるとされる。「同期の桜」「桜咲く」「さくら鍋」といった使われ方もある。おとりのニセ客を「さくら」というのは、元々芝居で掛け声をかけ盛り上げたことだったとか。

沖縄の寒緋桜は一月から二月が見ごろ。日本一早いお花見ができる。濃い桃色で、ヒカンザクラともいうが、梅に鶯のように寄り添いくるくる回るメジロが可愛い。メジロは捕獲が禁止されている。花はヒラヒラ散らずに、ジッと耐えたあとポトリと落ちる。大和心と肝《ちむ》心《ぐぐる》の違いだろうか。八重岳、名護城《なんぐすく》、与儀公園、八重瀬岳と、北部から咲き出して沖縄の桜前線は南下、そのあと本土で北上する。桜前線は、本土に多いソメイヨシノの開花が基準だそうだが、北海道の白い千島桜が咲くのは、もう五月の終わり。大島桜、山桜、しだれ桜、八重桜と種類も多い。沖縄伊豆味でも本土系のクメジマザクラが三月ごろ開花する。愛知小原で見た四季桜は、一一月に満開だった。

沖縄の花見は家族連れで賑わう。屋台は出るが、焼きそば、たこ焼き、スペアリブ程度で、お酒は飲まない。車に乗ったまま渋滞の行列が続き、まるで「車見」みたいだ。そして名桜大学に桜坂市民大学。

六六　ジョン万次郎

サンゴ礁に囲まれた琉球国には、外国難破船が数多く漂着した。島人はこれを助け、温かく介護して本国へ送り返し、感謝された。中国から日本へ向かう鑑真をのせた船も漂着している。幕末や明治初期には、ヨーロッパの難破船も多くなった。イギリスのプロビデンス号や、博愛の碑で有名なドイツ軍艦ロベルトソン号の難破などは有名である。人道と鎖国幕府の取り締まりとの狭間で、親切と警戒が交錯、悲劇も起こった。

黒潮の同じ道筋にある土佐は、琉球とのつながりも深い。台風も来るし、船の漂流もある。かつおも採れるし、芋のずいきで「りゅうきゅう」という食べ物もある。漂着の琉球船が助けられ、送り返された長峰筑登之《ちくどぅん》が、琉歌を詠んでいる。

白浜ぬ真砂　ゆみやつくすとも　土佐の御恩せや　さんやしらん

土佐清水の中浜がジョン万次郎の出生地で、私も何度か訪ねている。

彼は一四歳のとき漁に出て難破し、仲間と無人島の鳥島に流れ着いたが、奇跡的にアメリカの捕鯨船ジョン・ハウランド号に助けられる。親切な船長に可愛がられた万次郎はアメリカに渡り、フェアヘブンでホームステイする。勉強の甲斐あって捕鯨船の副船長になり世界をかけ巡る。望郷の念にかられハワイ経由で帰ってくるが、日本は鎖国の真っ最中、戻れば打ち首である。彼は琉球国摩文仁《まぶに》の大度《おおど》海岸に上陸、一八五一年一月三日、土佐を出てから一〇年目のことだった。

豊見城翁長《おなが》の高安家に軟禁され、取り調べを受けたが、琉球王府は、薩摩や土佐との関係に気を使いながら、厳しく緩やかな扱いをしている。通訳には後のペリー相手に堂々と振る舞った牧志朝忠も当たったらしい。メリケ(アメリカ)、ウワホ(オアフ)、エンゲレス(イギリス)など発音による言葉が飛び出し、彼が見聞し乗ったと思われる鉄道のことをレイロウと言っている。あまり上手でない汽車の絵まで書いて残している。彼の語るアメリカ文化が、当時の薩摩藩主、島津斉彬《なりあきら》の心をくすぐったことも幸いした。琉球滞在は六カ月に及び、彼が日本に送り帰されたときには、開国の気運が高まり、死罪どころか唯一のアメリカ通として幕府に重宝がられた。

一八六〇年には咸臨丸に乗り組み、勝海舟、福沢諭吉らと共にアメリカに渡り、帰国後は後に東京帝大となった開成学校の教授にまでなってしまう。実に運に恵まれ、数奇な運命を辿ったとはいえ、その好奇心と努力には頭の下がる思いがする。明治以後の日本にどれだけ大きな影響を与えたことか。高安家は現存、ご当主にお会いしたこともある。翁長集落にはその顕彰碑、大度海岸には故郷土佐を指さしたジョン万次郎の銅像が建っている。そんな人物の命を救ったウチナーンチュはすごい。

六七　オードブル

小学生のころ、ドイツ帰りの伯父が急に「西洋料理を食べに行こう」といって、東京丸ビルの精養軒に、私一人を連れていってくれたことがある。初めて大人扱いをされ、コース料理をいただいた。バターが芽キャベツみたいに小さく丸めてあるのが珍しかった。知らず知らずのうちに、テーブルマナーを教えてくれたのが、今でも心に残っている。

コース料理はオードブルに始まり、スープ、魚、肉料理、デザートと続くが、二種類出たり、口直しやチーズが加わったりする。ただ最初の前菜オードブルは欠かせない。主菜とは別の「作品の外」という意味らしいが、序曲、幕開け踊り、まくらのように気分を盛り上げる。料理人も腕をふるう。これで料理の味も判るからだ。そしてワイン、酒などの風味を引き立てる。アメリカではカナッペ、ハム、スナックなど。中華では、かぼちゃや西瓜の種、クラゲ、鳥冷製、ピータン、焼き豚など。和食なら前付け、先付けなど。小料理屋や居酒屋のお通し、つき出しといったところか。

琉球宮廷料理には五段料理というフルコースがあり、シーミー茶と葛餅《くじむち》から始まったという。一の膳は素麺汁、いなむどぅち、酢でしめた刺身など、二の膳はてびち、角煮、ご飯など、そのあとの東道盆《とぅんだーぶん》から酒が出され宴がたけなわになった。

こんな前菜とは違い、沖縄にはオードブルと称する独特のものがある。宴席やパーティーによく登場する。格式ある朱塗りの東道盆に見立てた簡易プラ容器は、円形皿を中心に放射線状に仕切られ、鳥の唐揚げ、手羽先、エビフライ、天ぷら、肉巻き、てびち、焼鳥、ウインナー、春巻き、肉団子、昆布巻きなどをきれいに盛り合わせる。巻き寿司やいなり寿司も入り、みんなで好きなものを気軽に取って食べる。

ごちそう盛り合わせ料理といえば、土佐の皿鉢《さはち》料理、長崎の卓袱《しっぽく》料理など、豪華なものが多いが、おきなわんオードブルは、むしろ庶民のごちそう盛り合わせで、とても親しみやすい。一皿あればコースも要らず一切これですむ。軽い立食に限らず、かなり改まった正式の宴会でも出てくるから面白い。正月を始め、数多い年中行事、一寸した集まりから大パーティーに至るまで、オードブルは大人気。みんなで取り合いながら談笑する風景は壮観だ。おいしそうなものから早くなくなる。

このオードブル、あちこちの店で注文に応じたり、オリジナルの趣向をこらしたものを作っている。これを受け取りに行く風景がまた見ものだ。ビニール風呂敷に包まれたオードブルを大事に抱え、店から近くの駐車場に向かう。車の座席にはオードブルがデンと置かれる。料理を楽しんだあとの残りは、もちろんみんなで分けて持ち帰る。今やちょっとした沖縄の風物詩になっている。

六八　ハベルが舞う

世の中には、似たもの同士とか、区別のつけにくいものが結構ある。山と丘、湖と池、紅葉と楓、さつきとつつじ、椿とさざんか、白魚とシロウオ、アブと蜂など。蛾と蝶もその一つで、学問上はともかく、素人目にはせいぜいきれいなのが蝶で、汚いのが蛾か。でも反対のこともある。

沖縄でハーベールーは蛾のこと。世界最大の蛾ヨナグニサンはアヤミハベルといい、天然記念物で美しい。しかし琉歌に詠まれるハベルは蝶のことで、綾蝶節はアヤハベル節、ハーベルとかハビル、ハビラともいう。一般に蛾より美しく、紅型や漆器などの絵柄、模様にも使われる。戦前は蝶々のことを「てふてふ」と書いた。「ちょうちょう」と同じとはとても思えない。童謡の「ちょうちょう」の原曲はスペイン民謡だそうだ。

沖縄は蝶の天国と言われる。種類も多い。蝶の舞う姿は都会では見られなくなってきたが、沖縄ではわりとよく目につく。街を歩いていても蝶の舞う姿を見ることができる。蝶は海も渡る。波の上に浮いて休むらしい。東南アジアの国々からも飛んでくる。フィリピンの蝶を八重山でつかまえた、と言って喜んでいる人がいた。モンシロチョウ、モンキチョウは畑に飛んでくるが、あれはキャベツの大敵だそうだ。

子供のころ図鑑で見た、色の美しいルリタテハ、擬態の名人コノハチョウなども、夢の世界でなく、沖縄では実際に舞っている。私もそれらしき蝶を見かけたことがある。正月の本部町水納《みんな》島でアサギマダラの群生に遭ったときには、その数の多さに驚いた。日本最大の蝶オオゴマダラは、白くひらりひらりと優雅に舞う姿をよく見かける．首里を蝶の舞う城下町にしたいという運動もある。ホウライカガミという餌になる植物で育てるそうだ。金色のさなぎがクリスマスツリーの飾りのように美しい。琉宮城蝶々園、ロワジールホテル、平和祈念堂で見ることもできる。

慰霊や平和の祈念、卒業式などの行事には「放蝶」の儀式がある。これは沖縄独特のもので、本土なら鳩を飛ばすところ。オオゴマダラの羽根をつまんで持ち、合図とともに一斉に空に放つ。蝶はギリシャ、ローマでは魂の意味をもつらしい。

蝶は胡蝶ともいい、コチョウランはお祝い花として長持ちする。南城市知名のまつりヌーバレーでは、胡蝶の舞が上演される。男八人が蝶の黄羽根をまとい、早いテンポで踊っていた。本土の舞楽「胡蝶楽《こちょうらく》」が四人の童子で緩やかに舞うのと対照的である。

沖縄には、凧のアクセサリーとして独特の「風弾《ふうたん》」がある。蝶の形をしているのでハーベルフータンとも呼ばれる。凧糸について昇り、てっぺんで紙吹雪を散らして降りてくる。何とすてきな遊びではないか。

六九　マチグヮーの風

東京の築地市場もようやく豊洲に移転した。市場は住民の台所という大事な場所で、築地市場ももとは日本橋にあった。私がかつて訪ねたパリの中央市場も引っ越したとか。那覇牧志の公設市場マチグヮーも戦後生まれ。戦前は那覇港近くの東町にあり、シシマチの豚をはじめ魚、野菜、壺、砂糖、衣類などを買い求める客で賑わっていた。その映像が残っている。今のマチグヮーも老朽化が進み、改築することになった。

復帰前、まだ右側通行だった国際通りを散策し「てぃんさぐぬ花」のレコードを土産に求めたときには、マチグヮーまでは行けなかった。その後赴任したとき初めて入り、第二市場、衣料市場、農連市場もあることを知った。第二市場の跡はにぎわい広場となり、さらに現在改築中のマチグヮー仮市場となっている。農連は「のうれんプラザ」に生まれ変わった。ほかにも栄町や、コザ、名護、本部、糸満、先島などに見られる。当時は売り手が女性ばかり、呼び込みや掛け声もなく、頭に物を載せて運ぶ姿もあった。

それが今はどうだろう。男性や外国人の売り手が増え、大きな声で呼び込みをする、バイクに乗ったまま荷物を運ぶ。危険だけでなく、騒音と臭い排気ガスがひどい。たまりかねて私は、一〇年ほど前から両手を広げ「お客が迷惑、押して行きなさい」と注意を続けている。最近はさすがに減ったが、まだまだ不心得者がいる。こういうことは、警察に頼るのでなく、市場関係者みんなの力で守っていきたいものだ。地元客がメッキリ減り、国内外の観光客ばかりが目に付く。売り買いが穏やかでなくなってしまった。

本土各地にも有名な常設市場がある。朝市や夕市、曜日や日を決めて市が立つところも多い。一日市場、二日市、三日市、四日市、五日市、六日町、七日町、八日市場、十日町など地名にまでなっている。そこには人や物が集まり、コミュニケーションがある。海外では鉄道駅に市場が併設されているところが多く、これが日本の駅チカや、道の駅の発想につながったのだろう。マーケット、マルクト、マルシェ……。観光客にとっても、住民生活の一部を肌で感じ取れる場所なので、つい立ち寄りたくなる。魚、肉、チーズ、野菜、果物など、海外の市場は試食もたっぷり出来た。

大型スーパーやコンビニは駐車場を備え、車が使えて便利だから、客足はついそちらに向かってしまう。しかし売り場はどこも同じで商品に個性がなく、レジもどんどん機械化する。マチグヮーの特色は対面販売だ。お客との会話があり、おまけの添え分《しーぶん》もある。市場周辺には飲食店も多い。歩いて人が集まるからこそ街が元気になる。地元住民からソッポを向かれたら、観光客だって面白くない。愛される市場、新マチグヮーを目指してチバリヨー。

七〇　千円ステーキ

琉球古典舞踊に特牛節《くてぃぶし》がある。くてぃとは雄牛のことで、古語でコトイ、牝牛はウナメといった。山陰本線には特牛《こっとい》という駅もある。四つ足の動物を食べる風習は、古代を除き、明治の西洋文化取り入れと共に広がった。鳥、豚、猪と並び、牛肉も牛鍋やステーキという形で食べられるようになったのである。私が子供のころはビフテキとかビステキといい、西洋料理では一番上等で、滅多に食べられない。でもとんかつよりはビフカツ、またビーフカレーやビーフシチューとして食べたことはあった。戦時中、敗戦直後は一切ご縁がなく、ビーフステーキが復活したあとも、高価高級なご馳走で、庶民が食べられるものではなかった。

復帰前の沖縄に出張で来たとき、首席判事の招宴で、コザ基地内のレストランで戦後初めてステーキを食べた。分厚い肉で、こんなにおいしいものはないと思った。本土ではとても食べられないのに、沖縄に赴任してからは、どこでも大衆ステーキが食べられるので、大いに楽しんだ。本土ではとても食べられない気軽さと値段であった。ジャッキー、88《はちはち》、サムズグループなどのほか、基地内で食べる機会もかなりあった。

沖縄のステーキは、大きく三つに分けられる。一つは、ホテルとか高級レストランのもの。

銘柄にこだわり、口の肥えた客にも対応できる。二つ目は観光客向けに、鉄板焼きパフォーマンスで切り分け箸で食べるもの。三つ目は、沖縄の大衆食堂で食べられるステーキで、ナイフとフォークで切って食べるもの。このうち一番沖縄らしいのは、三番目の大衆ステーキだ。ガードロドロしたおきなわんスープと、キャベツを刻んだサラダに、パンかライスがつく。ガーリックトーストのこともあり、アイスティーかコーヒーがつくこともある。肉は固いが、塩胡椒で食べられるほどのものではある。焼き方も一応は聞くが、出てくるのはミディアムもレアも同じ。A1《エイワン》ソースをかけるのが普通だが、オリジナルソースを提供する店もある。

最近、一〇〇グラムから二〇〇グラムのステーキを、千円前後で出す店が急に増えてきた。税込みもあれば税抜きもあるが、とにかく安い。久茂地のハンズあたりが草分けと思うが、国際通り周辺にも、県民ステーキ、那覇ステーキ。ごりらパンチ、やっぱり、ぽっきり、わったー、かけつけなどなど。和風タレを出したり、牛の形の鉄皿を使ったり、焼き溶岩にのせて自分で焼いたり、店によっていろいろだが、熱々が食べられる。ご飯、サラダ、ドリンクが取り放題のところもある。肉の産地や銘柄、焼き加減の良し悪しを問わなければ、充分楽しめ満足できる。本土では銘柄にこだわるあまり、佐賀牛を松坂牛と偽ったといって大騒ぎする。佐賀牛が可哀そうだ。

七一　路線バス

バスのもとは辻馬車で、道路があればどこへでも行けた。馬がエンジンに代わったのが乗合自動車、バスである、ラテン語のオムニバスからきた名前で、全ての人のために、という意味があるそうだ。日本では一九〇一年九月二〇日、京都で初めて走ったというのが通説で、この日を記念し九月二〇日はバスの日とされる。路面電車の一八九五年より遅い。橘家円太郎の物まねが受けて円太郎とも呼ばれた。一九二三年の関東大震災で路面電車が被災し、応急にフォードのバスを取り入れたことから、急速に発達した。戦後は、鉄道と共に、代表的な公共交通となっている。

沖縄戦で鉄道を失った沖縄は、米軍トラック改造のバスに始まり、異常なほどの車社会となって利用客は減ったが、今でもバスの果たす役割は大きい。私もバスと徒歩で暮らしている。バス王国といっていいほど、路線系統も本数も多いのだが、とにかく乗りにくいのである。これは新那覇バスターミナルができた今でもあまり改善されていない。

会社別に運行されるので、路線も時刻表も別々で判りにくい。車体の色も、行先経路表示も統一されていない。行先を示す電光表示板の文字が小さくてゴチャゴチャし、沖縄の強烈な日差しマフックワの陽光に負けて読み取れない。市内線と市外線との乗り換えが難しい。停留所の位置と名称がバラバラで、時刻表が剥がれていたり、運賃支払い方法や乗り降り口がバスごとに違ったりする。ゆいレールとの乗り換えは不便、運転手に聞いても他の路線のことは全く判らない。新車が増えてきたが、車両の設計を含め、乗り心地はあまりよくない。ノンステップ車も歩道にピッタリつけないので段差が残る。

接客態度やオキカの導入など、少し良くなった面もある。定時に来ないのは、渋滞に巻き込まれるからで、バスのせいではない。一九八〇年代の名護行き路線バスにはトイレつきもあった。バス停ではガジュマルが日差しを避け、ベンチ代わりの腰掛け石もあったのに。今でも野ざらし、ベンチなしのバス停が多い。国際通りの渋滞を避け、多くを久茂地回りにしたため不便になった。公共交通の役割を考えると逆ではないか。新都心を結ぶ⑩番のミニバスも僅か三〇分に一本、運転間隔が長いと利用されない。

バスは、乗り降りの段差、揺れ、排気ガス、騒音は、高齢や福祉、環境の面から問題が多い。バスマップは使いこなせず、慣れない人は不安で乗れない。観光客や外国人が初めて沖縄に来たとき、路線バスが使えるだろうか。その点、路面電車は地図に路線が明記される。路線バスは路面電車と共存し、高速長距離と地域のコミュニティに徹するのが生きる道である。路線バスで小旅行もいいものだ。高い位置から沖縄の風景を眺めて行ける快感は、マイカーの比ではない。

七二　ユーフルヤー

最高裁経理局で、全国の裁判所庁舎と宿舎の整備の仕事をしたことがある。公務員が安い家賃で宿舎に住めるのはおかしいという声もあるが、全国津々浦々にまで転勤がある厳しさなどを考えるとやはり必要かと思う。復帰前に沖縄の宿舎事情を視察したとき、引っ越しに畳を持っていくこと、あまり風呂に入る習慣がないことを知った。井戸《かー》での水浴びや、シャワー程度で汗を流すというのである。ホテルや宿もタイル張りのシャワー室だけしかない。水タンクからの水圧で弱いシャワーであった。戦後、アメリカの生活習慣から、シャワーか、せいぜいドラム缶の湯に入るくらいだったのだろう。

本土では湯船につかる風習が基本である。自宅に風呂がなかったり、何かの都合で入れないときは公衆浴場、つまり銭湯という風呂屋に行った。私も子供のころや、学生寮にいたころは、よく利用した。お宮の屋根を思わせる建物で、高い煙突が立っていた。男女に分かれて中に入ると、番台がありここで湯銭を払う。番台は男のあこがれの職場、落語にも湯屋番というのがある。脱衣場には脱衣カゴと棚がある。今はロッカーになった。浴室は広く、壁にはペンキ絵で富士山が描かれている。熱い湯に我慢して入るのが江戸っ子だった。三助《さんすけ》という背中を洗い流してくれる兄さんもいた。

沖縄にも戦前から銭湯があった。ユーフルヤーといい、私も那覇在任中に何回か入ったことがある。本土の銭湯と違い、脱衣場と浴室の間に仕切りがなく、お湯と水が出るカランの位置がなぜか高かった記憶がある。カランはオランダ語だとか。暑い亜熱帯の地では盆や正月など以外は水浴びで充分だった。湯船にゆっくりつかってホカホカ温まるという感覚がなじまないのだろう。その後、自宅にも風呂を置くようになったため、ユーフルヤーはどんどん寂れていく。今では沖縄市安慶田の中乃湯一軒だけが残っているという。

この傾向は本土でも同じで、昭和四〇年代後半ごろから、風呂屋はメッキリ減ってしまった。人前で肌をさらしたくない、家族か一人だけで入りたい、という個人志向が強まったからである。豪華寝台列車の中に個室の風呂まで作る時代だ。沖縄への赴任者や移住者も増え、シャワーでは物足りないという風潮になったからだと思う。

一方では、昭和のよき時代の銭湯を懐かしむ人も多い。癒やしの場、肌の付き合い、といった面から見直されつつある。ゴルフ場の浴場はまさに風呂屋そのものだ。沖縄のリゾートホテルも、観光客が本土の温泉地感覚で大浴場はないのかと求めたのに応え、温泉を掘ったり、大浴場を作ったりしている。入浴料を取って日帰りの客を迎え入れているところもある。那覇のりっかりっか湯や、玉城の猿人の湯、浦添の湯などはまさに現代型ユーフルヤーなのである。

七三　沖縄の地図

戦時中、要塞地帯というのがあった。横須賀、呉、佐世保、東京湾、下関、津軽、対馬など、国防上重要な軍関係施設がある場所が指定され、写真、スケッチが禁止された。汽車の旅も、窓のブラインドを下ろし、外の景色を見ることができなかった。見ればスパイ扱いである。当然その地帯の地図も軍の機密として、手に入れることができなかった。

戦前、日本の地図の作成は陸軍陸地測量部が行い、参謀本部の地図として、二〇万分の一と五万分の一の地図で全国を覆っていた。民間人も買い求めて、旅行、山登り、ハイキングなどに利用した。終戦前後は地図の入手も困難な時代であった。

戦後はこれを国土地理院が引き継ぎ、全国を二万五千分の一の地図で覆っており、誰でも求められる。今や世界地図、道路地図、住宅地図、鉄道地図からグルメマップまで、あらゆる分野の地図が溢れているが、当たり前のようなことが実は大切なのである。

日本では、伊能忠敬が江戸時代に全国を行脚し、乏しい測量機材を使って測量、全国地図を作成して禄高税収を確定した。彼は北海道から屋久島まで踏査したが、当時まだ外国だった沖縄には来ていない。琉球は、海外の地図にレキオの名で記されていた。

先日、県立博物館で催された琉球地図展で、伊能図よりも早く、琉球王府がフランスの測量技術を使い完成させた琉球全図を見てきた。印部石《しるべ》を一万個も設置し、驚くほど正確な地図が作られている。小禄古道の街ま～いで、印部石の一つを見たことがある。この地図は実に正確で、現在の地図とほとんど変わらない出来映えで、琉球国の技術がいかに優れていたかが判る。

戦時中、沖縄は要塞地帯にならなかったのは不思議だが、軍事的にはそれほど重要視されていなかったのだろう。それでも地上戦で多くの地図が焼失した。残っている地図は貴重で、ケイビンや路面電車のことも、地図にちゃんと記載されている。沖縄戦で失われたもの、ことに今は基地に奪われている町や村の姿も浮き彫りにされてくる。地図が全てを語ってくれているのだ。

地図には記号がある。役場、郵便局、警察、鉄道、温泉など。最近の地図には、暮らしに役立つ給油所、コンビニ、サービスエリアなどの記号が目につく。カーナビの発達で瞬時に正確な地図が現れる。便利ではあるが一瞬、前方注視がおろそかになるのが心配。またウチナーンチュは一般に略図を書くのが苦手だ。チラシやガイドブックに地図が載っていないことがあり、書いてあっても判りにくい略図や、不正確でテーゲーなものが多い。車社会のせいでもあるが、行けば判るサーの土地柄では、あまり精密な地図は要らないのかも知れない。

七四　すき焼きとスキヤキ

時代劇を見ていると、悪代官と奉行《ぶぎょう》が出てくる。江戸の奉行は老中に直属して公けの行事を取り仕切る高官であった。寺社奉行、町奉行、勘定奉行のほか、京都伏見、長崎などにも奉行職が置かれた。琉球国にも、三司官が所管する部署の長として、一切を取り仕切る奉行職があった。普請、鍛冶、書院、貝摺、物、瓦奉行などのほか、冊封使を迎えるとき臨時に置かれる踊奉行があった。取納奉行《しゅぬぶじょー》は琉舞の演目にもなっている。

ところで、鍋奉行、すき焼き奉行というのがある。大勢集まって鍋を囲んだとき、肉や魚、野菜などの材料を適宜鍋に入れ、味付け一切を行う世話係の人をいうのだが、自然と誰か居るもので、奉行に例えて呼ぶのは面白い。

本土のすき焼きは、農具の鋤の上で肉を焼いて食べたのが始まりで、今では鉄のすき焼き鍋を使う。お祝いや歓迎などで、家族や親しい人が大勢集まったときのご馳走の代表である。これを掌る奉行は、普段まかないに携わる主婦でなく、亭主とか若者が務めることが多い。関東のすき焼きは、牛鍋ともいい、鉄鍋に牛の脂ヘッドを塗って割り下という調味料を入れ、牛肉、野菜、焼豆腐、しらたきを一緒に煮込む。白ねぎが中心で、しいたけ、春菊などを入れる。関西では鍋に砂糖、醤油を入れて牛肉をからませ、まず肉を味わってから、野菜、豆腐を入れて煮る。青ネギ、麩、まつたけ、筍などを入れることもある。味付けはどちらも濃いほうで、熱い肉を生卵にくぐらせて食べる。牛肉のほか、鳥すき、うどんすき、猪肉、雉肉などもあり、対馬にはいりやきという魚のすきやきもある。

沖縄の大衆食堂のメニューにも、スキヤキというのがある。カタカナで書くことが多いが、本土のすき焼きとは別物である。とくにご馳走感覚はなく、奉行もいらない。野菜の牛肉煮込みと言ったらいいだろうか。調理場でフライパンを使って調理し、やや深めの皿に盛って出てくる。並の牛肉、野菜、春雨、青菜、特大の豆腐を真ん中にデンと置き、その上に生卵を落とす。レタスやキャベツを入れる店もある。煮汁は薄味でタップリ、箸のほかにスプーンを添えてくる店もある。そのほうが食べやすいからだ。牛肉の質には全くこだわらず、値段が安く、栄養は満点で、なかなかの健康食だ。

日航ジャンボ機の事故は一九八五年八月一二日。あのとき命を落とした坂本九が歌う「上を向いて歩こう」は、なぜか海外で「スキヤキ」と題が変わり、アメリカで第一位の大ヒットを記録した。マウイ島の砂糖キビ観光列車の中でも、歌手が乗っていてこの曲を日本語で歌ってくれた。ハワイの風物にも溶け込んだいい曲である。下を向いて歩けば落ちた財布は拾えるかもしれないが、姿勢が悪くなり、健康にも良くない。堂々と大空を向いて歩きたい。

七五　かりゆしウエア

柔道着を着て戦う沖縄角力と違い、大相撲の力士は裸で相撲を取る。仕事着は一本のまわし。礼装の化粧まわしをつけても、上は裸である。古代人はみな裸であった。本来裸は美しいもの。木の葉で隠し、獣の皮を身につけるようになってから、猥褻《わいせつ》が問題とされるようになった。卑猥《ひわい》と芸術との判断は今も難しい。

衣装は、時代や階級、正装や普段着と、それぞれ違うが、平安時代の束帯と十二単《ひとえ》は、源氏物語絵巻からお雛様の世界、宮中行事に伝えられている。武家も直衣《ひたたれ》や鎧兜《よろいかぶと》に美を求めた。江戸時代の大名の裃《かみしも》、遊女の姿は、歌舞伎や映画で見ることができる。明治になると、軍人、官員、巡査、鉄道員などが洋装となり、女性はハイカラさんが流行した。戦前の軍服、大礼服に続き、戦時中の国民服、モンペ姿は歴史に消えたが、結婚式などでは礼服が健在、背広、和装は今も根強く残っている。ふくべのように地方色豊かなものもある。沖縄の月光仮面スタイル運転もその一つか。

制服は、識別の大事な警察官には必需品。医師、客室乗務員、宗教家など、職業によって特定の衣装をつけることもある。判事の黒い法服は私も着ていた。戦前は、大学生も制服を着た。旧制高校生はボロを着て歩いた。中高生の制服は私立に多いが、公立でも採用しているところがある。短大の学生さんに聞いたら、制服へのあこがれはまだ強い。

背広というスーツは、役人や会社員の制服みたいなものだ。暑い沖縄でもワイシャツにネクタイを締め、汗をかきかき仕事をする。私が沖縄県行政オンブズマンのとき、県職員に軽装をすすめたが、効果はなかった。ハワイにはアロハシャツがある。もとはウチナーンチュの移民から始まったものだそうだが、軽装でデザインがよく、正装として受け入れられる。沖縄にもあっていいのではないかと「おきなわウエア」が生まれた。

ところがデザインがダサイうえ、本土の客に失礼ということで、なかなか普及しなかった。でも今では「かりゆしウエア」と名前を変え、デザインも工夫され、ようやくアロハシャツのように定着してきたのである。沖縄でめでたいを意味する、かりゆしウエアと名付けたのもよかった。亜熱帯の風土にふさわしく、正装としても通用する。紅型や首里織などを使った高級品もあるが、一般には手ごろな値段で、気楽に着られるところがいい。洗濯も簡単にできる。女性用をはじめ、半袖、長袖　詰襟、開襟から、冠婚葬祭どちらにも使える黒の礼装用まである。戦後沖縄衣装のヒットだろう。

本土でもクールビズが叫ばれるようになった。かりゆしウエアの売り込みも盛んであるが、風土に合わないものは無理をしても長続きしない。閣僚のかりゆしウエア姿も空々しい。地球温暖化で東京も暑くなるのを待つか。

七六　路面電車のすすめ

私が沖縄に路面電車を、と初めて呼びかけたのは、一九九七年一二月四日沖縄タイムスへの寄稿であった。まだ実現していないが、それでも諦めないのは、車社会の沖縄に一番ふさわしい公共交通と考えているからだ。

電車は今や新幹線を含む高速鉄道が主流だが、最初は道路上を走る路面電車から始まった。日本でも一八九五年京都で初めて運転され、東京の銀座でも、それまでの馬車鉄道に代わり走り出した。当初は救助網をつけたり、係員の誘導でチンチンガタゴトと走っていた。バスや車の少ない時代のこと、便利さも受けて、全国に数多くの路面電車があった。沖縄でも一九一四年、路面電車が那覇と首里を結んだ。

戦後、車社会となり鉄道が斜陽化する。路面電車は時代遅れ、車の邪魔になると次々に廃止され、僅か一九都市に残るだけとなった。電車が消えても、渋滞や騒音、排気ガスは相変わらず、人が歩かなくなり中心市街地が寂れてきた。高齢者を含む交通弱者の足が奪われてしまったのである。といって中小都市では高速鉄道や地下鉄を作る力はない。

ここにきて路面電車の良さが見直されてきた。トラムともいい、ハイテク技術やデザインも進み、欧米各地で復活や新設が進んでいる。街なかに堂々と乗り入れ、道路から直接乗り降りできる便利さと、地上を走る安心感は抜群である。床が低く、交通弱者も利用でき、揺れも少なく静かで排気ガスも出さない。横に動くエレベーターともいわれる。道路があればレールが敷けるから、自然や街を破壊せず安く作れる。ゆいレールのように固定化せず小回りも効く。郊外ではスピードも出せる。路面電車による街づくりは、ＬＲＴ（ライトレールトランジット）と呼ばれ、運賃支払いもセルフサービスである。

そんなのが走ったら街なかの渋滞はもっとひどくなると心配されるが、実はそこがミソで、世界の各都市はさまざまな知恵と工夫でこれを乗り越え、市民に喜ばれている。私も世界各地の路面電車を視察してきた。都心部の車をただ規制するのでなく、信号を電車優先にする、レールの敷地を芝生にする、街なかの駐車料金を高額にするなど、都心に行くには車より路面電車の方が便利だという感覚を身につけてもらうのだ。都心に入る車が自然に減ってくるのは、世界の都市で実証済みである。街なかを出れば、車も電車とともに道路を走ることができる。今や渋滞解消の救世主とまで言われている。

路面電車にも限りがある。そんな場所こそバスの活躍どころだ。コミュニティに徹しよう。路面電車との乗り換えを便利にする。路面電車の経営を公共交通のプロであるバス会社に委ねる手もある。路面電車は、小さい島沖縄にふさわしく、優しい乗物である。

七七　遠見台

近くにいる人に意思を伝えるには、言葉や動作、手話などの手段があるが、遠くになるとそうはいかない。昔は大声や口笛、太鼓や金属を叩くなどしてこれを伝えた。矢文《やぶみ》や伝令、飛脚、早馬と工夫はされたが、郵便制度が整うまで、離島や僻地の人はとても苦労した。漂流者は助けを求めて着物を振った。手旗信号もそこから生まれた。

多良間島の沖合、水納《みんな》島には鷹塚があり、百合若大臣の伝説が残っている。鷹が飛ぶのを使い文通を図ったものだ。帰巣本能を活かした伝書鳩は今も健在である。多良間島には、石を積み上げた小高い丘があり、登ると遙か遠くが見渡せる。遠見台《とおみだい》といって、行き交う船の動静や、異国船の到来などを見張り、島々で順次狼煙《のろし》を上げて蔵元に知らせるために使われた。この仕組みは、宮古本島や大神島、八重山の波照間島、小浜島、黒島、竹富島などにもあって、狼煙台とか火番盛、コート盛、中森とか、呼び名はいろいろだ。県内一九カ所ほどの遠見台群が国の史跡になっているそうだ。

また久米島、粟国、慶良間諸島にも烽火台、狼煙台と呼ばれるものがあって、こちらは冊封使の乗った御冠船《うかんしん》の到来をいち早く見つけ、順次狼煙を上げて素早く首里王府に通報した。

このための遠見番所ヒタテヤーも置かれていた。船が那覇に着くまでには、冊封使を迎える準備が整っていたという。伝達の早さは想像以上のものだった。遠見台の面影は、海洋博公園にあるドリームセンターの渦巻き型の建物で味わえる。名護の「白い煙と黒い煙」物語も、狼煙からの発想だろう。また夜間、船の側から見れば、常夜灯、灯台、管制塔は頼りでもあった。

モールス電信の発明により、遠方への意志の伝達は画期的に早く確実になったが、久松五勇士の時代は、普及がまだまだだったので、宮古島から石垣島までサバニを漕いで行かなければならなかった。戦前戦後のころは電報だけが頼りで、文字数により料金が高くなった。電話も市外通話は大変だった。交換手がつなぐのだが、申し込んで数時間は待たされる。料金の高い特急制度もあったが、せいぜい待ち時間が半分ほど短縮される程度だった。現在の電話、携帯、メール、スマホの世界では想像もつかないだろう。人工衛星によるナビゲーションも発達した。船舶やカーナビの正確さは驚くばかり。これに、ラジオやテレビの放送が加わって、今や、世界の情報が瞬時一手にすることができる。

だが、情報が溢れ過ぎて人間がこなし切れなくなってきた。画面ばかり見ていると、知識は増えるが感性が衰えてくる。時には肌で空気や世界を感じたり、自分の目で、手元を見つめたりしよう。沖縄には「慶良間は見えてもまつげは見えない」ということわざがあるではないか。

七八　とりとチキン

山原の森を世界自然遺産にとの動きがある。ヤンバルクイナが車に轢き殺されるようではとても。本気なら、公共交通と許可車だけにして車を規制することだ。ヤンバルクイナは飛べない鳥だが、鶏もまた同じ。朝コケコッコーと鳴くので、人目を避ける平家落人の里では鶏を飼わない風習があるそうだ。鶏は毎日のように卵を産む。またチャーンや尾長鶏のように、声や姿を愛でたり、シャモのように闘鶏を楽しんだりする。十二支の仲間で、東京浅草の鳳神社では毎年商売繁盛の熊手を求めるお酉様で賑わう。

鶏は英語でヘンというが、食べる肉はチキンである。牛のカウやオックスも食用はビーフに、豚はピッグからポークになる。日本語でも、牛がぎゅう、豚がとんとなる。牛肉は今でもぎゅうだが、豚はなぜかぶた肉というようになった。昔はトンコマ、トン汁と言ったのに。でもとんかつは健在である。鶏も食肉になると、とり、かしわになる。かしわという呼び方は西日本に多い。有名駅弁にも高崎のとりめし、折尾のかしわめしがある。焼き鳥、鳥鍋、水炊き、地鶏炭火焼き、ちゃんこ鍋などに使われる。相撲取りは手が地面につく四つ足をきらい、二本足の鳥肉を使うと聞いたことがある。三大地鶏としては、よく名古屋コーチン、秋田大館の比内《ひない》地鶏、鹿児島の薩摩地鶏が挙げられる。

ところで、豚王国の沖縄では、戦前どの程度とり肉を食べていたのだろうか。牛は牛汁があったが、とり肉はあまり聞かない。どうも戦後アメリカ世になってから、広く食べられるようになったのではないか。奄美には鶏飯《けいはん》があるのに。ただ、冊封使接待料理の中には、とり肉や皮を使ったものがあったようである。

戦後の沖縄は、チキンをよく食べるようになった。私が島巡りをしていたとき、みんながチキンと呼ぶ島に渡ったことがある。何と津堅《つけん》島のことだった。

クリスマスには鳥の丸焼きが登場する。もとは七面鳥や豚の丸焼きからきたものか。ジミーというアメリカベーカリーでガーリックチキンを売り出したのが始まりとか。その後、南米からの帰国者が始めたブエノチキンや、コッコロコ、リイコー、コケコッコなど次々に現れた。詰め物を入れて、しっかり時間をかけて焼き上げる。またファストフードのフライドチキンも入ってきた。とり唐揚げは日常食として、弁当のおかずには欠かせないものとなっている。骨つき派、骨なし派も生まれた。チキンライスは、トマトケチャップ味で赤い色をしたご飯物と思っていたら、シンガポールのは、白い蒸し鶏をライスに添えた名物料理だった。

沖縄の焼鳥は炭火でなく、鉄板の上でジュージュー焼いて、紙コップに突っ込んでくれる。嘉手納基地内のアメリカフェスタで初めて食べたときは驚いた。でも寒緋桜の花見にはこの鉄板焼き鳥がよく合う。

七九　龍と龍柱

シーサーはライオンに似た架空の動物といわれる。鳳凰も、夢を食う貘《ばく》も同じ架空のもので、生きた動物のクジャクやバクとは違う。那覇出身の詩人、山之口貘の「座布団」の詩碑は与儀公園にある。

龍もまた想像上の動物だ。大蛇に似た姿をし、クネクネと動く。うろこをつけ、爪をもつ足が四本、目玉が大きく、立派な髭をはやしている。水中に棲み、水を司ることから火消しポンプも龍吐水と呼ばれた。時には高く天に昇る。中国では爪が五本、めでたいものとして皇帝や天使のシンボルとされる。これが琉球国に伝わった。久米村《くにんだ》中道入口や歩道の飾りなど、市内あちこちに龍の頭や、龍の柱が建っている。

中でも首里城は、龍に守られているかのように数多くの龍がいる。これを探して歩くのも面白い。全部で三三匹いるそうだが、うち二匹は見えない場所に隠れているとか。まず瑞泉門の手前右側に龍樋がある。この水が龍潭池に注ぐ。正殿には、唐破風、朱色の柱など至るところに龍が描かれ、葡萄、リス、雲などがこれを囲んでいる。正殿前の八の字形になった基壇脇には、左右一対の石造りの龍柱が向き合って建っている。戦前は正面を向いていたはずだと、復元工事の際もめたが、結局、写真や古絵図などをもとに今の姿になった。戦火はこんなことまで解らなくしてしまうのだ。琉球新報社玄関にある赤い龍柱二本は漆芸家前田孝允さんの作で、なかなか見応えがある。

那覇市若狭にあるクルーズバースには、毎日のように巨大クルーズ船が立ち寄り、大勢の観光客が観光バスやタクシーに乗って、沖縄観光に向かう。これを迎えるために、このほど若狭の街の入り口に、大きく立派な石造りの龍柱が設置された。バリ島寺院門柱や規模は小さいが宮古島狩俣の石門《トゥーリャ》を連想させ、左右一対、港の方を向いて建っている。シンガポールのマーライオンみたいな観光シンボルとして作ったものだが、観光客の多くは気がつかないで素通りする。巨大船の前ではあまりにも小さく、地味な色で目立たないうえ、歩かない車社会のせいもある。ライトアップも中途半端で明るくなく、そのうち船も出てしまう。あんまり意味がないとか、予算の無駄使いだとか評判はいまいちだが、気持ちは判る。せっかく作ったのだから、もっと知恵を絞ろう。

龍宮に龍神、爬龍船《はりゅうせん》、沖縄に多い竜巻や、海の中のたつの落とし子、赤いドラゴンフルーツなど、龍にまつわる事象や言葉は多い。RBC琉球放送テレビでは、かつて「情報コンビニ・龍の髭」というバラエティー番組があり、私も数年間連続出演したことがある。いい経験をしたが、さすがに生放送最終日は感動ものだった。竜頭蛇尾に終わらなくて良かった。

八〇　秋を見つける

北海道から九州へ、細長い本土は四季の移り変わりが激しい。冬の雪、春の梅、桃、さくらとつつじ、新緑から夏、これが終わると涼風が吹き、実りの秋が始まる。稲穂が重く垂れ、稲刈りしたあと稲はざに掛けて干す。まるで壁や塔、兵隊さんの観兵式のようだったりする。また果物の季節でもある。りんご、ぶどう狩り、栗拾い、柿や梨もぎなど。食欲の秋は、松茸、秋なす、サンマ、鮭の秋アジ。秋の七草は、萩、ススキ、葛、撫子、オミナエシ、藤袴に桔梗。虫の声も聞こえてくる。

紅葉の美しさは秋の色。全山燃えるような赤一色に染まる北海道夕張の紅葉山、十和田や奥入瀬、田沢湖近くの抱き返り、香嵐渓《こうらんけい》や京都周辺の紅葉は息を呑むほどだ。黄色が混じり、松の緑も加わると裾模様のよう。紅葉饅頭から紅葉天ぷらまで。東京駅や神宮外苑の銀杏の黄葉は、火伏せ効果のある東京のシンボルで、イペーの花満開の黄色みたいだ。

これに比べ、常夏の沖縄には秋がないといわれる。稲は二期作、秋の果物も少ないし、サンマや鮭もない。でも新北風のミーニシが吹き、サシバの姿をみると、やはり秋を感じるではないか。冊封使は春、南風《はえ》に乗って沖縄に辿りつき　新北風《みーにし》に乗って帰ったという。伊良部島の宿に泊まり、サシバの群れが一泊するのを見たこともある。連泊は許されない。昔は島人の貴重なタンパク源であった。

砂糖きびに似たススキの穂は、沖縄でもよく見られる。きびの穂のようにスックと立たないところが、秋を感じさせる。本土のお月見にはススキの穂とお団子が欠かせない。沖縄では、旧暦中秋の名月には、小豆をまぶしたふちゃぎ餅を備えていただく。

本土のようなもみじの紅葉はみられないが、それなりに葉が赤くなるものはある。ハゼの紅葉はしっかり赤く染まるし、沖縄でクファディサーと呼ばれるコバテイシ、別名モモタマナの葉も赤くなる。ホルトノキの葉も一部が真っ赤になる。観葉植物のクロトンだって赤や黄色の葉が見られる。紅型染めの鮮やかな赤と黄は、本土の紅葉に負けない美しさだと思う。数年前、やんばるで、色褪せた紅葉のような風景に出会い「おや、もみじかな」と思ったら、なんと松喰い虫にやられた琉球松の枯れ木だった。

秋といえば、本土では蕎麦の実が収穫され、一段と香りのいい新そばが食べられる。蕎麦好きにとっては待ち遠しい季節である。蕎麦粉を使わない沖縄そば全盛の沖縄では、本土風の日本そば、和そばは少ないが、近年、蕎麦の栽培が始まり、新そばが出回るようになった。もっとも育ちが早く、年に何回も取れるので、秋の新そばの感は薄い。

沖縄には秋がない、といわれているが、そんなことはない。あれこれ見回すとこんなに秋を楽しめるのだ。

右・マウイ島砂糖キビ列車〈74 すき焼きとスキヤキ〉（写真・筆者所有）

左・南国のそば畑。宮古島風景〈80 秋を見つける〉

八一　沖縄の舞台

大相撲九州場所も終わり、年末の紅白歌合戦も近い。土俵といい、ステージといい、技や芸を大勢の人の前で披露するところが舞台だ。戦時中は芝居も映画も規制され、不良の行く所だとさえ言われた。戦後、全てが自由になってから、私は芝居好きの父に連れられて、能、歌舞伎をはじめ、新派、新劇、能狂言、オペラ、バレエ、寄席、軽演劇やストリップショーまで、幕の開くものは何でも見に行った。判事であった父は芸能通で、役者や芸人の演技だけでなく、演出、舞台装置、小道具、見物の反応、観客マナー、幕間の過ごし方、観劇後の余韻など、劇に関するあらゆる事柄を教えてくれた。当時の松緑や猿之助、エノケンや笠置シヅ子の楽屋を訪ね、化粧中の姿や、舞台裏の動きまで見せてくれたこともある。

歌舞伎の舞台の特色は、回り舞台と花道、小さなセリのスッポンである。緞帳《どんちょう》のほかに定式幕《じょうしきまく》という黒・柿・萌黄色の引き幕があり、大道具には、仕掛け、宙吊り、吹雪、擬音、背景画など興味深いものが多かった。

沖縄芝居を初めて見たのは、本土復帰前の沖映本館で、舞台は恩納ナベの一代記であった。回り舞台もないのに舞台転換がスムーズに行われる。背景画も美しい。久高将吉、親泊元清といった味のある役者が出演していた。セリフは全く判らないが、筋があり、動きで見せてくれる。その後、乙姫劇団の達者で楽しい芝居や、てるりん、笑築過激団などの舞台も覗いている。沖縄の戦後復興は、収容所の芸能から始まっている。ドラム缶の上に板を張った舞台、三線や衣装、小道具もみんな廃物利用の手作りであったという。

琉舞の背景には何もないのが原則、組踊も渋い色の紅型幕一つである。八重山の組踊で、演者が立ち回りをするとき、三線の早弾きに合わせシャンシャンと背景幕を揺らす演出には感服した。これだけ芸能が盛んなのに、常打ち小屋がないのは不思議である。多目的ホールや公民館が使われる。一般に舞台は立派だが、バリアが多く、トイレが少なく、プログラムの文字が小さい。車社会では、ハネたあとの余韻も楽しめない。

那覇にあけぼの劇場というのがあった。自然の地形を利用し、舞台を見下ろす客席が古代劇場に通じる素晴らしいものであったが、いつしか消えていった。小劇場「ジァンジァン」も無くなった。松尾にできた「わが街の小劇場」のような小屋も大切にしたい。

劇場の舞台に似た建物がある。大聖堂、教会、神社、寺院　議場、裁判所の法廷などなど。祈りも裁判も、テントだってやれるのだが、それなりの厳かな舞台を用意し、そこで行なうのは、人の心にも適うものだ。裁判所庁舎の建築の仕事に携わった四年あまり、舞台のあり方や、それを取り巻く環境について、多少とも心得のあったことが、少しは役に立ったかなと思う。

八二　アイスティー

中国の鉄道では、普通車を硬座、グリーン車を軟座と呼ぶ。何となく解るが、水にも軟水と硬水がある。軟水の多い本土では、硬水は石灰分が多く飲みにくいとされる。三島、島原、熊本、アルプス山麓など、おいしい水がこんこんと湧き出ているところが多い。私が沖縄に赴任するとき、沖縄は水が悪いからそのまま飲むなと注意された。来てみるとみんな飲んでいるではないか。氷もそのまま凍らせている。名護のオリオンビールは水が良いからだというし、辺戸の大川の若水を汲み、はるばる首里に運ぶお水取りの儀式もあるほどだ。泡盛だって水を使う。今ではミネラル分が多いからと見直されてきた。

沖縄は島国だから水は貴重である。那覇も、昔は対岸の落平《うてぃんだ》から水を舟で運んだ。私が赴任したころは、家の屋上にみんなUFOのような丸い給水タンクをつけていた。でも島内各地には湧水や名水も多い。私も久米島阿嘉の水を届けてもらい飲んでいたこともある。湧き水はカー、石の樋で引いてくるのはヒージャーという。寒川、垣花、仲村渠《なかんだかり》、宝口、メンダカなどのヒージャー、繁多川《はんたがわ》、ボージガー、与座、金武、森川、嘉手志川などのカーが沢山ある。私の友人で鉄道写真家の南正時さんは全国名水探訪の旅を続けているが、沖縄の名水は立派なものだと評価している。

水が良ければお酒やお茶もおいしい。全国には酒どころ、茶どころが多い。泡盛やぶくぶく茶は沖縄独特のものだ。今では紅茶やコーヒーも作られ、よく飲まれる。戦前は、大人はコーヒー、子供は紅茶と言われた。ブラックとシュガー、レモンとミルクは、と好みも聞かれる。戦後の沖縄はまずアメリカンコーヒーをガブガブ飲むことから始まったようだ。紅茶は戦前から優雅な飲み物とされ、リプトン、セイロン、アッサム、ダージリンなどが名産地だが、最近琉球紅茶も人気が出てきた。英国ではアフタヌーンティーという気品のある嗜み方があり、ロンドンや香港で味わったことがある。熱い紅茶が好まれていて、冷たいアイスティーはクールティーとも呼ばれ、別扱いのようだ。

その冷たい紅茶が沖縄ではよく飲まれる。喫茶店、カフェ、コーヒーシャープだけでなく、おきなわん大衆食堂では水代わり、お茶代わりである。さんぴん茶とは別で、ヤカンや大ボトルに入り、ご自由に、という形で置いてある。セルフサービスのことが多い。高級紅茶ではないが、シロップを混ぜてほんの少し甘い。これが大衆食堂の食事によく合うのである。まだ自販機のなかったころ、ジョギングの途中のどが渇いて立ち寄った食堂で、アイスティーだけ何杯もタダでガブガブ飲ませてもらったことがある。平和通りの花笠食堂では、明治乳業と提携して紙パック入りの花笠アイスティーを発売した。今日は一本持ってきたので、みんなで試飲して終わろう。

八三　ドルを使う

私は英語に弱い。中学に入るころには戦争が始まり、英語は敵性語としておろそかにされた。戦時中は英語や洋楽も禁じられる。ベルトは皮帯、レコードは音盤などと呼び変えられ、ドレミファもハニホヘトと変えて歌った。旧制高校も入試に英語がなかったので入れたようなもの。敗戦で英語がドッと入ってきて戸惑った。初めて見る外国人にドキドキし、学校英語との違いも知って愕然とした。司法試験には英語の科目がなく、裁判では日本語を使うと決まっているので、今日まで来てしまっている。

復帰前の沖縄出張で、生まれて初めて旅券とドルを手にして宿賃や買物に使ったのである。復帰後沖縄に赴任したとき、そば屋で米国人と相席になったり、市場のおばぁが言葉も判らないのにドルで商売するのを見た。またアイスワラーとかオープナーといった発音や、小さな離島でも海外話が飛び出すことにも驚いた。短大の学生も留学経験が多く、英語の発音がとてもきれいなのである。ウチナーンチュが本土で「日本語がうまい」といわれ、屈辱を感じたという話を聞いたが、なぜ屈辱なのだろう。当時本土では、国際交流といえば取り澄ましたエリート同士のものとされており、米人が近づいてくると英文科の学生でさえ逃げ出すほどだったから。

アメリカ世の体験から、旅券やドルの両替に慣れ、基地内留学や英会話レッスンも盛んだ。基地内はもちろん、基地外のステーキハウスやタコス、寿司屋の支払いまでドルが使えた。換算はいたって大まか。私も財布にいつも円とドルを入れ、店によって使い分けていた。今でもコザ辺りのレストランやお店などではドルが使える。基地の町横須賀では　夏のドル旅まつりというのをやっているそうだ。ドルには異国的な魅力がある。

東南アジアの電車を調べているうちに、路面電車のある韓国の坡州市《パジュ》に英語村というテーマパークがあることを知った。村に入るとそこは全てイギリス、英語しか使えない。一日英語で学び遊べるという。そこでどうだろう。コザの一角に、基地のイメージを逆手に取って、遊びと学習を兼ねたアメリカンテーマパークを作るのだ。入国、通りの名前、看板、メニュー、会話、商品、音楽、新聞雑誌などを全てアメリカにする。もちろん支払いはドル。元々アメリカ文化の街だから、本物のアメリカはすぐできる。全国から留学準備の人、アメリカに赴任する家族、興味のある観光客らを呼ぶのだ。琉球時代の久米村《くにんだ》の発想で、こんなテーマパークは全国にないから、大勢の人が貴重な経験を求めてやってくるに違いない。街も元気になる。北谷のアメリカンビレッジと路面電車で結べば、相乗効果も期待できる。沖縄は、基地がもう嫌だといっているだけで、アメリカが嫌いなわけではない。

八四　歩道橋

川の対岸に渡るのは昔から苦労した。橋が架かると楽になる。那覇の明治橋も最初は木製、何度も架け替えられて、現在の姿になった。真玉橋《まだんばし》や比謝橋《ひじゃばし》などには秘められた物語もあり、今なお暮らしの中に溶け込んでいる。沖縄には海に掛ける橋も多く、復帰のころは塩屋大橋が名所になるほどだった。万国津梁の架け橋もあれば、渡りたくても容易に渡れない南北朝鮮境界線の橋もある。

泉崎橋は美しさを誇った。金門橋、ロンドン橋、瀬戸大橋、とよみ大橋など、眺めているだけでも楽しい。船の通行を邪魔しない開閉橋や、道路をまたぐ陸橋も橋の仲間だ。鉄道駅の線路の上に架かる跨線橋《こせんきょう》は昔からあったが、昨今は、橋上《きょうじょう》駅が増えてきた。用地難のためだが、踏切を減らし町の分断を避ける効果はある。

川と同じようなものに道路がある。歩行者は横断歩道で対岸に渡れるが、車がスムーズに走れないということで、コンクリート製の歩道橋を設けるようになった。学童や歩行者の安全が守られるので、これはいいと、全国に急速に広まった。橋の上からの眺めもよく、私もよく利用した。でも階段やスロープがあり、高齢になるとこれを渡るのがきつくなってきた。

見た目にも美しくなく、街の景観を害している。

沖縄に移住後、短大で保育科の授業を担当するうち、逆に福祉について学ぶことになった。沖縄コロニーに協力してもらい、アイマスクをつけて国際通りを歩いたり、手動の車椅子で歩道橋のスロープを登ってみたりした。ところがあのスロープ、私の力では登れないのである。途中何度も休んでやっと上まで辿りついた。設計者は実際に登ってみたのだろうか。歳をとるにつれ、歩道橋は、高齢者や障害者に苦痛を与える非人間的なものであることに気づいたのである。最近少しずつ廃止されていくのはいいことだ。バイパスは別として、横断歩道や歩行者優遇の信号、ガードレールなどに力を入れて欲しい。

もともと道は人が歩くものだった。そこに車が割り込んできた。私が運転免許を取った昭和二三年(一九四八)ころは、車は歩行者に遠慮しながら道路を走ったものである。車社会ともなると、全てが車優先、歩行者への配慮がおろそかになる。シートベルトやエアバッグ、自動運転装置、どれも車の立場で考えられたもので、歩行者の目線に欠ける。道路は車だけが使うものではなく、人も自転車も路面電車もみんなで利用するものだ。ついでながら安全と安心は別ものである。

車の激しい騒音や、たばこより恐ろしい排気ガスも、クーラーをかけた車内では全く感じない。私も歩行中、真っ黒なガスをまともに吸わされたり、たまり水を何度も跳ねかけられた。たばこには嫌煙権があるが、嫌車権はないのかな。

八五　文章を書く

広辞苑よりもっと大きい大日本国語辞典の法律用語解説に携わったことがある。読者が一般人なので、解りやすく短く解説するのは大変なことだった。判決という悪文の世界にいた者にとっては貴重な経験で、それ以来、判決文を書くときにはなるべくやさしく、短く、専門用語を使わないように努めた。定年後、エッセイストとして文章を書くようになったのは、その経験と反動からか。

文章は、投書、寄稿、記録、自分史など、自分から進んで書くものと、学校やサークルで作る新聞や雑誌、文集など人から頼まれて書くものとがある。沖縄の地元二紙は、読者の寄稿を大事にしてくれる。論壇、エッセイ、オピニオンの投書と、活躍の場があり、恵まれている。学校や地域の文集などから頼まれたら、断らないで書いてみよう。みんな素人だ。書いたことがないとか、恥ずかしいなどと言わないで。

文章を書くとき「出だし」と「結び」だけは大切にしたい。よく起承転結を考えよというが、とらわれる必要はない。ただ「テーマ」と「ねらい」は区別したほうがいい。読む人は誰か、どんな人が読むのかを意識し、読者の立場になることだ。

私の最近の例だと、琉球新報ティータイムのテーマは「琉球古地図」、ねらいはウチナーンチュはもっと地図を大事にしよう、沖縄タイムス茶飲み話のテーマは「具志頭王子《ぐしかみおーじ》の墓」、ねらいは新幹線でない旅もいい、であった。簡潔な文章でないと読んでもらえない。

テーマは何でもいい。高齢者は知識と経験が豊か、若者には負けない。自分の得意分野から選ぶのが無難である。政治、宗教、病気の話はなるべく避けよう。季節感をちょっと入れると活きてくる。ねらいはサラリと扱おう。強調するほどつまらなくなる。沖縄にはとかくその例が多い。文章は短いほど迫力がある。書くときのコツは、最初箇条書きにし、これに肉をつけふくらませていく。草稿ができたら手直しをするつもりで削っていくといい。パソコンのワープロ機能はこの作業にとても役立つ。

字数を必ず守ること。エッセイは縦書きのほうが読みやすい。「である」体と「あります」体のどちらかを選び文の中で混用はしない。エッセイは論文ではないから、カッコ書きや専門用語、知識をひけらかす言葉はなるべく使わず、やさしい言葉で綴ろう。

締切り日が決まっているときは必ず守る。もし遅れると大勢の人に迷惑がかかる。いくら練り直しても完璧とはいかないから、締め切り日前に早く書いてしまおう。出してしまえば気持ちが楽になり、次の仕事に取りかかれる。二重投稿は絶対にしないこと。沖縄地元二紙に同じことを書きたいときは、文章を変えて二つ書き、それぞれに出すのが社会的なルールというものだ。

八六　うなぎの香り

足立美術館のある島根県安来は、どじょうすくいの踊りでも知られるほど、どじょうが名物である。どじょうは江戸の昔から東京でもよく食べた。私も柳川鍋、丸鍋などが好きである。どじょう汁の品書きを「とせうけ」と読んで笑わせる落語もある。本土では、田や沼、池、湖にいる鯉、フナ、スッポン、わかさぎなど、清流にいる鮎、やまめ、イワナ、ハヤなど、そして鮭、鱒、うなぎ、しろうおのように、海で生まれ川を遡る魚もいる。これら川魚を、養殖も含めよく食べる。

沖縄は海に囲まれ、海鮮料理が豊かで、川魚はあまり食べない。源河川の清流に鮎を戻そうという活動もあるが、食べるための鮎ではない。一つには大きな川や自然の池、沼が少ないからといわれる。でも国場川や比謝川、本島のダム湖や、西表の仲間川、浦内川、南大東島の大池湖沼群などがあり、カニ、えび、ハゼ、ヤシガニ、うなぎなどが生息しているではないか。もっとも南方系の巨大うなぎは食べてもおいしくないだろう。

うなぎは古い食材で、昔はむなぎとも呼ばれた。生態は長い間謎とされていたが、マリアナ諸島近くの深海で生まれ、しらすと呼ばれる小魚になって川を遡ってくるというのが定説だ。天然ものと養殖があり、今では殆どが養殖で、天然ものは珍重される。江戸時代には庶民の味であった。戦前は、出前の代表格で「おうな」と呼ばれ、手軽なご馳走であった。中国やフランス、ドイツ、イタリアなどでも鰻はよく食べる。うなぎ祭りというのもあるそうだ。でもやはり日本の蒲焼きが一番。土用丑の日に食べると、夏を乗り切る元気が出るという。平賀源内のキャッチコピーが効いた。

戦前は沖縄にも辻に鰻屋が一軒あったと聞く。おそらく島のどこかの川で採れた天然うなぎを、本土風の蒲焼きにして出していたのだろう。戦後はドライブインやおきなわん食堂などのほか、うなぎの専門店もあちこちに出来て、一般に食べられるようになった。焼き方にもう一工夫欲しいが、暑い夏を乗り切るには格好の食材だ。台湾、中国からの輸入もののほか、今帰仁《なきじん》や金武《きん》でもうなぎの養殖が行われ、立派な県内産がスーパーでも買えるようになった。土地柄もっと伸ばせる食材だろう。にぎり寿司にあなごでなく、うなぎを使うのが面白い。巻き寿司にもうなぎが巻かれている。

蒲焼きは、関東では背割きで首を落とし一度白蒸しにしてから焼く。関西は腹割きで首をつけたまま焼く。どちらも古酒《くーす》のような秘蔵のタレをかけて焼くと、いい匂いが辺りに漂う。職人技が求められる。うな丼、うな重などのほか、筑後柳川のせいろ蒸しや、名古屋のひつまぶしもおいしい。うなぎ登りという言葉もある。南大東島の大池でうなぎを育て、月見舟で江戸の味の蒲焼きを楽しんでみたい。

八七 琉球石灰岩

私の本名は石田、東京は小石川で育った。空襲で焼ける前の我が家には、玄関から門まで御影石の石畳が敷かれていた。当時東京都電のレール敷石も同じだった。鉄道線路のバラスにも興味があった。裁判所で最高裁庁舎の新営を担当したときには、建材の御影石について勉強した。海外の公共建築物や、国内の国会議事堂、首相官邸、日銀、御用邸なども視察した。沖縄産勝連トラバーチンが使われていることも知った。また胆石にも悩まされた。鉄道仲間は、石動《いするぎ》、落石、石下《いしげ》駅の入場券がお守りになると言ってくれたが、結局沖縄に移住してから大手術をして治した。一六八九年、高嶺徳明が琉球王孫尚益に全身麻酔をして成功した医学の先進地だったことは、あとで知った。

沖縄は、サンゴの化石である石灰岩で作られた石の島である。石川、石嶺、石平《いしんだ》などの地名のほか、石田城跡、石原城跡、巨石の海底遺跡まである。南部港川粟石の裂け目からは、一万八千年前の人骨が発見されている。復帰前沖縄にきたとき、初めて琉球石灰岩の石垣を見て驚いた。ガマという洞窟もあり、鍾乳石の石灰岩から沖縄戦の悲鳴が聞こえてくるようだ。グスクの跡には石垣が積まれ、アーチ型の門が美しい。園比屋武御嶽《すぬひゃんうたき》石門、崇元寺石門、玉陵《たまうどぅん》、ようどれなどのほか、庶民の暮らしの中にも石造り文化が溶け込んでいる。門、塀、ヒンプン、トイレ、カー、粟国島の貯水槽トゥージ、シーサー、石敢当、墓など。積み方にも、野面積み、布積み、相方積みの区別がある。石積みは風を通し、音も聞こえる。良質のトラバーチンは大理石の仲間だ。本土にも城の石垣、石橋、段々畑、墓などはあるが、基本的には木と紙の文化である。

琉球石灰岩は、沖縄の雰囲気を出す建材として、ホテルや飲食店、美術館などに使われる。私が在職中のころ、定年後の終《つい》の住家として、古い家を建て替えた。道路から門扉へのアプローチや門柱を琉球石灰岩で飾ろうと、友人を通じ沖縄から取り寄せた。石そのものは安いのに、運送賃がとても高かった。取り寄せた石を見て、石屋さんが「こんな石は見たことがない。積む工事に自信がない」と嘆く。そこで沖縄の絵はがきや写真を見せ、こんな風に積んでくれと頼み、ようやく仕上げたが、まずまずの出来だった。門柱の上には一対のシーサーを置いた。小さいが、高江洲育男さんの作品で、東京の我が家は沖縄気分上等である。

ある夕方、新聞配達少年がこの石積みの琉球石灰岩を触って泣いているではないか。尋ねると「沖縄から出てきて一所懸命働いてきたが、この石を見て急に古里を思い出し、涙が出てしまった」というのである。石にはこんな力がある。「いつでも触って良いから元気で頑張れ」と励ましてやった。

具志頭王子の墓。静岡県興津清見寺を訪ねる〈85 文章を書く〉

東京の筆者宅門〈87 琉球石灰岩〉

八八　クラシック

沖縄に赴任してきたとき、肌で沖縄を知ろうと、本島各地をジョギングした。やんばるを走ると、集落の出入口でよく石碑を見かけた。八八八六の琉歌で、そこからおもろさうしの存在を知った。万葉集にも比べられる古謡集である。日本の古典文学といえば、源氏物語、枕草子、徒然草などが挙げられる。では近代文学といわれる坊っちゃんや雪国は、古典なのだろうか。神楽、能、狂言、歌舞伎などは、新派、現代劇などに比べて古典芸能とされるが、創作や新作がどんどん生まれる中、古典とそうでないものとの区別が、だんだんつかなくなってきた。

音楽の世界でも、クラシック、近代音楽、軽音楽、現代音楽と、進化、変化してきているが、今でも、バッハ、モーツァルト、ベートーベンといったクラシック音楽を原点として愛好する人は多い。現代音楽とどちらの格が上とか、上等とかいう問題ではないが、古いものへの憧れは無視できない。歌の芝居でも、伝統のオペラから、オペレッタ、ミュージカルと、時代によって新しいものが生まれている。

アンティーク、ビンテージ、レトロ調とか、いろいろ呼び方はあるが、要するにクラシックのこと。美術工芸品や骨董品、人形、家具、建物、自動車など、古いものが珍重される風潮が高まっている。江戸村、明治村、大正村、昭和村などからチンチン電車、ボンネットバスに至るまで。東京に居る私の弟も、ご自慢のクラシックカー、四五年も前の三菱ギャランを運転している。沖縄でも左ハンドルの外車がもてはやされたことがある。

沖縄戦で全てを失った沖縄でも、古いものは大事にされる。組踊、古典舞踊、音楽、美術工芸など。琉舞も古典、雑踊、創作が、三線も古典、民謡、新曲がある。安里屋ユンタでも弾ければと、軽い気持ちで琉球新報カルチャーセンターに出かけたら、いきなり人間国宝照喜名朝一先生が現れ、古典の稽古から始まった。古典が全ての基本とか。気さくな先生のご指導にかかわらず、三線は落ちこぼれた。

アメリカンミュージックの本場沖縄では、クラシック音楽はどうかなと思っていたが、石田中学の吹奏楽、新人演奏会、音楽家のリサイタルなどを聴き、ご縁あって琉球交響楽団の役員を務めたりするうち、どうしてどうして水準は高いと知った。新しい音楽や芸能も次々に育っている。現代版組踊「肝高《きむたか》の阿真和利《あまわり》」もいずれクラシックの仲間入りをするだろう。

クラシックな建物にも心を惹かれる。渡名喜島や竹富島の集落や古民家の美しさはどうだろう。大宜味村役場の旧庁舎も大正ロマンを漂わせる。歴史的な立場から古い建築物を大事に残したいという気持ちと、古くて危険なうえ維持費がかかるという理由で壊したいという気持ちがいつも錯綜する。

八九　島旅アッチャー

沖縄に移住したあと、海技学校に通って「四級小型船舶操縦士」の免状を取った。若い人に混じっての実技やテストには苦労したが、有人島めぐりをする以上、航路標識や運航の心得、気象知識ぐらいは知っておきたいと思ったからである。実際に役だったわけではないが、いい勉強になったと思う。

有人島めぐりといっても、所管の役所ごとに数が違うからリストアップが大変だ。海中道路で陸続きの島、橋で行ける島、埋め立てで出来た島、住民登録がない島、牧場管理人が交代で行く島、夏の季節だけ店を出す島、離島振興の扱いをされない島、ご先祖と共存するお墓や拝所だけある島などなど。こうなると常識で数えるほかない。

宮古、石垣、久米島は空路に恵まれているが、当時の南西航空は週二便の島もあり、祝日と重ならないと公務に差し支える。船も定期便のある島とない島、結ぶ島ごとに船が違ったり、天候による欠航、通過もある。定期航路のない島にはチャーター船で渡る。サバニのような小舟に乗り、ひっくり返ってもいいように海水パンツをはき、カメラを包んだビニール袋を体に巻きつけて、波をかぶりながら渡ったこともあった。島に渡っても、どこの誰とも知られないよう、名前だけしか明かさなかった。

島の掟も、最初のころは判らず礼を失したが、だんだん興味本位ではいけないと判ってきた。島の長へまず挨拶し、よそ者や男の入れない場所をわきまえる。撮影や貝などの持ち出し禁止など、ルールを守ることが大切である。神の宿る島といわれる久高島、大神島、浜比嘉島、古宇利島、パナリ島などは、とくに気を使った。どこもまだ橋が架かっていなかったころの話である。

南北大東島は、東京八丈島の島民による開拓の島で、江戸文化が今も根付いている。伊是名、伊平屋は琉球王朝の原点を感じさせる格調の高い島であった。久高島の旧正月、奥武島のハーリー、池間島のミャークヅツ、多良間島の八月踊り、竹富島の種取祭などの年中行事、まつりに参加させていただいたこともあった。

多良間沖の水納島は一家のみが住む。久米島近くのオーハ島も僅か数人が住むだけの島であった。どちらも小さな島だが、それぞれ海の暮らしが営まれていて感動した。

西表島では、朝早くマングローブの川をカヌーで遡り、さがりばなの群生と落花を鑑賞した。亜熱帯の美しい花で、枝にたれ下がった白いつぼみが、夕方咲き出して明け方には散るという一夜限りの命花である。白やピンクの房みたいに可憐な花だが、その群生は見事、川面に落ちる一つ一つの花が水辺に漂う姿は、まるで生き物のようであった。

九〇　やまくにぶ

新幹線や特急の旅と普通列車の旅では、お客が違う。長距離を走る各駅停車に乗っていると、お客の会話の言葉が変わっていくのである。窓も開くし、外の匂いも感じる。磯の香り、高原の冷気、市場や暮らしの匂い、温泉、花畑、果物、材木、漆や木工、線香の原料杉の葉の香りなど、さまざまな香りが旅を演出する。中には工場やゴミなどの悪臭もあり、街の活気や寂れまで感じ取れる。新幹線や航空機では、人口的な匂いしかしないから、季節風やローカル色は感じられない。

ヤマトの古語では、色と匂いが重なっていたようだ。いろは歌とか、匂い立つような色という言葉もあり、薫り、芳り、香り、匂い、臭い、くさい、と書き分けもするが、匂いは五感の中で一番鈍く、数値で表すことが難しいとされる。男より女が敏感だとか。化粧、香水、香道など、匂いにかかわる嗜みも数多くある。食べ物にも、よい香りのものからきつい臭いのものまで。香辛料をはじめ、鮎、松茸、新茶、酒、鮒寿司、クサヤ、臭豆腐、ドリアンなど。沖縄でも泡盛、月桃、ビバーツ、フーチバー、ヒージャーなどがよく匂う。

小満芒種《すーまんぼーすー》から夏至南風《かーちべー》へ、心地よい季節を迎えると、この時期だけ独特な香りのする「やまくにぶ」が那覇の市場の店頭に並ぶ。山九年母《やまくねんぼ》、モロコシソウを干したもので、香り草ともいわれる。芳香と防虫を兼ね、琉球王朝時代の女官から辻の尾類《じゅり》、一般家庭まで、防虫や虫さされに使われた。束のまま吊したり、タンスに入れたりして使った。茶色の葉についた白い実が芳香を放つのである。香りは衣装にも移る。

この風習は、近年薄れてしまった。防虫剤や化学製品の芳香剤が出回り、やまくにぶを生産する農家が減ってしまったのである。市場でも以前ほど見かけなくなった。化学製品もいいが味気ない。昨今除虫菊を使った昔ながらの蚊取線香が復活し、渦巻き状の線香の香りが喜ばれるようになってきた。あの渦巻き型は、金鳥の初代が火を長持ちさせるために考え出したものだという。こういう天然の素材を生活の中に活かすのは大事なことではないだろうか。やまくにぶの復権を願っている。

やまくにぶに限らず、マチグヮーの商品は季節感に溢れ、本土の市場では見られない珍しいものが並ぶ。イラブーはウミヘビを燻製にしたもので、黒い棒やトグロを巻いたような形をしている。昆布と一緒に煮込んだシンジスープは強壮剤で、琉球最高級料理として珍重される。旧盆近くになると、砂糖キビの茎を切ったグーサンが目につく。ご先祖さまがあの世を往復するときの杖で、旅行用品である。ウチカビは黄色い紙にコインの型を打ち込んだもので、ご先祖様にあの世で使っていただくお金である。頭にものを乗せて運ぶ姿とともに残したい風物だ。

九一　島を守る

六月二三日は沖縄慰霊の日。陸軍の牛島司令官が自決し組織的戦闘が終わった日とされている。海軍の大田実司令官が最後の電文を打って自決したのは六月一三日であり、六月二三日の以後も戦闘は続いていたという人もいる。本土の終戦記念日を九月二日ミズーリ艦上で行われた降服調印式の日とすべきだという論もあり、これだと沖縄の降服調印式が嘉手納基地の中で行われた九月七日ということになる。

これと並んで忘れてならないのは、沖縄県知事島田叡《あきら》の存在である。今と違って当時の知事は国の官吏であり、神戸出身の島田は昭和二〇年（一九四五）一月、大阪府内政部長から戦争末期の沖縄に死を覚悟して赴任した。夫人は、何も悪いことをしていないのに、と反対したが、それを振り切っての単身赴任だった。着任後、栃木出身で県の荒井退造警察部長とともに、軍部と対立しながら食糧の確保、県民の命を守るための島外への疎開など、島民に向き合う献身的な努力を重ねた。いよいよ沖縄本島で地上戦が始まり、那覇、首里も陥落すると、県庁職員と共に南部へ避難行動を続け、六月七日に真壁村伊敷の壕内で県庁の解散を命じた。その後荒井部長と二人、摩文仁の辺りをさまよい続けた後、六月二六日ころ行方不明となり、その後の消息は判っていない。

戦後心ある人たちによって、摩文仁に島田知事、荒井部長を含む県庁職員四六八人を偲ぶ「島守の塔」が建てられた。平和の礎《いしじ》にも、二四万人余に及ぶ沖縄戦犠牲者の一人として刻銘されているが、これには何故か「島田」が「嶋田」になっているので、検索のときには留意したい。当時の辞令関係の書類によれば、「島田」が正しい。

また最近、奥武山公園の中に「島田叡顕彰碑」も建てられた。東京帝大野球部出身の島田は、人柄が良く、県庁職員だけでなく、島民からも慕われていたという。

戦前の知事は、裁判所長、検事正とともに勅任官で、地方の三長官と呼ばれた。宮仕えの身だから、遠方僻地にも転勤させられる。沖縄への赴任は日数がかかり、さぞや大変だったろう。戦前の知事は、樺太、台湾、朝鮮にも赴任した。私の親戚も北朝鮮の北端、新義州の知事として赴任し、敗戦後家族バラバラとなり大変な苦労をして引き揚げてきた。

転勤は家族連れが当たり前だったが、戦後交通の便が良くなると、単身赴任が増えてきた。新幹線通勤者も沢山いる。沖縄の中でも、北部や離島への転勤が多く行われている。昔は流罪とか左遷の場合に限られていたが、今は全く関係ない。

知事は、戦後選挙によって選ばれる公選となる。沖縄県庁や国の出先機関の職員の中にも、国家公務員が本土から赴任してくるケースが多くなった。より一層、島を守るという気構えが求められるのだが。

久高島の旧正月。南城市久高島〈89 島旅アッチャー〉

丸いボールの島田叡顕彰碑。那覇奥武山公園〈91 島を守る〉

九二　ポーク玉子

卵は、鳥、魚、虫、亀など卵生動物の子供。ダチョウの卵のように大きなものから、うずらや烏骨鶏《うこっけい》のように小さい卵まで。いくら、たらこ、キャビア、カラスミやハタハタぶりこなどいろいろだが、鶏の卵が一番なじみ深い。一日一個産み、量産も可能で食生活には欠かせない。生では卵、料理になると玉子という文字を使うことが多い。

卵料理には、生の卵かけ御飯に始まり、炒り玉子、茹で玉子、それも半熟や温泉玉子がある。煮玉子、ポーチドエッグ、茶碗むし、プリン、オムレツ、オムライス。目玉焼きにも一つと二つ目玉、ハムエッグ、ベーコンエッグと千変万化。鳥と卵を使った親子丼の発想はすばらしい。近年は鮭といくらの親子丼もある。卵の黄身は一つだが、自然にできる二つのものもあり、佐賀嬉野では二つのものを売り物にしていた。御冠船《うかんしん》やペルリ接待料理には赤玉子が使われた。食紅や梅で色つけしたものらしい。

沖縄の食生活に豚肉は欠かせない。在来種のアグーは戦争でほとんど失われ。戦後ハワイ在住のウチナーンチュから送られた豚五五〇頭で乗り越えてきた歴史もある。またアメリカ軍放出のポークランチョンミートは、豚肉をミンチして缶詰にしたもので、沖縄ではポークと呼ばれる。スパムとかチューリップの銘柄が主流で、コンビーフの固まりみたいな形をしているが、豚肉でもソーセージでもなく、あくまでもポーク。ウチナーンチュはこれが大好きである。そのまま厚切にし炒めて食べたり、細かく切ってチャンプルーや野菜炒め、オムライス、炒飯、味噌汁などにも入れるが、ポークと玉子料理を組み合わせた「ポーク玉子」という料理にすることが一番多い。ゴーヤーチャンプルーやフーチャンプルーなどと並び、おきなわん大衆食堂の定番人気メニューになっている。

ポークに添える玉子は、目玉焼き、玉子焼き、オムレツといろいろ、ケチャップや胡椒味で食べる。Aランチにはあまり使われないが、Cランチではよくおかずの一つになっている。何より手軽で安いのがいい。エッグベネディクトのようなスマートさはないが、安ホテルや民宿の朝食には欠かせない料理である。最近は、これを海苔で包んだおにぎりまで登場した。ポー玉にぎりという。沖縄のコンビニの店頭にも並んでいる。ポーク玉子は沖縄の味、ぜひ一度は試してみたら。

卵は世界で愛される。モンサンミッシェルの門前町には、オムレツ専門店があるそうだし、日本の地熱卵や温泉卵も喜ばれる。ドイツ国民車フォルクスワーゲンの古い車体は卵の殻の強さにヒントを得た形だという。医者や法律家の卵もあれば、熱帯性低気圧という台風の卵もある。イースターエッグにたまごっち、鶏と卵はどっちが先だろう。この講座もコロンブスの卵に学びたい。

九三　アメリカ世

大城立裕さんの書いた芝居に「世替りや世や」というのがある。沖縄は琉球国の時代から、唐の世《ゆう》、薩摩世、ヤマト世、いくさ世、アメリカ世、復帰してまたヤマト世と、幾たびも世替わりを経験した。支配される時代を「世《ゆう》」という一字で見事に言い表している。ことにアメリカ世は、沖縄戦敗戦後の昭和二〇年（一九四五）から本土復帰の昭和四七年（一九七二）までの二七年間、アメリカが直接統治支配した、極めて特徴的な時代であった。これは本土の歴史にないことで、アメリカ文化を身近に暮らしの中で体験したのである。

パスポートにあたる身分証明書がなければ、本土と行き来もできなかった。パスポートは旅券のことで、外国へ旅行する人の国籍、身分を証明する公文書である。私が復帰前に初めて沖縄へ出張したときの公用身分証明書は、まだ大事に保存している。いわば昔の通行手形で、関所ではこれを提示しないと通れなかった。関所破りは大罪であった。また査証というビザは、入国滞在を認める証明で、不要としている国もある。

物々交換に始まった戦後沖縄の通貨は、B型軍票のB円からドルやセントへ。日本円は一切使えなかった。ウチナーンチュは一セントのことを一セン（銭）と呼んだ。民謡「十九の春」

の葉書は一セント、二セントであったのか。またウチカビはセントで数えたのだろうか。琉球切手も、判決文もドルで表示された。復帰の際には、厳しい警護のもとに本土から円を運んだ。ドルと円との交換、換算率などに大変な苦労があったという。

通貨はともかく、言葉は日本語のままで、英語を押しつけられることがなかったのはよかったと思う。日常会話の中では、缶切りのオープナーとか、熱いハットコーヒーなどと生の発音に近い単語がよく使われたようである。また戦前大学のなかった沖縄に、一九五〇年アメリカ施政下の総合大学として琉球大学ができた。これは復帰のとき日本の国立大学となっている。ほかにも私立の沖縄キリスト教短大や、沖縄大学などが生まれた。

アメリカ世では人も車も右側通行。復帰後の一九七八年七月三〇日に一斉に本土並みの左側通行になった。ナナサンマルの変更である。その記念碑が、県庁横や石垣島に建つ。

B型軍票が見たければ、日銀那覇支店の展示室に、また久米島だけで通用した切手含む琉球切手は那覇中央局内の郵政資料センターで見ることができる。

これらアメリカ世をよく知るためには、県立博物館のほか、沖縄市ゲート通りにある資料館「ヒストリート」が充実している。この小さな資料館の目玉は、嘉手納基地内で行われた沖縄戦降伏文書署名式の模様を写した写真だろう。沖縄の長いアメリカ世は、このときから始まった。

九四 沖縄のリズム

古代人はものを叩いて意思を遠くに伝えた。そこにリズムが生まれる。三社祭、秋田竿灯《かんとう》、阿波踊り、山鹿灯篭祭など、リズムに乗って街が盛り上がる。本土の人が好む調子に七五調がある。短歌、俳句、芝居のせりふなどのほか、祝いの一本締め、三本締め、三三七拍子という応援法も、みんなリズムに乗っている。

鉄道も、蒸気機関車の時代はシュシュポッポ、シッタンガラガラであり、汽車電車はガタンゴトンとリズムのある音をたてて走った。新幹線にリズムはあるのだろうか。

メトロノームというテンポ、音の速さを測る道具がある。一定の間隔で音を刻むのがリズムで、音楽には欠かせない。テンポは速いのもあれば遅いのもある。ジャズ、ロック、ダンス音楽、クラシック、行進曲、ワルツなど、二拍子、三拍子、四拍子と、沖縄でも戦後さまざまな音楽が入り込んできた。ウチナーンチュのリズム感覚は抜群で、三線、太鼓、サンバ、四つ竹、そしてドラムと、リズムを奏でる楽器も豊富である。

沖縄のリズムの基本は、琉歌の八八八六。おもろ、組踊、古典音楽、民謡など、本土のリズムと違うものが多い。薩摩の影響を受けてから、急激にヤマトの七五調が入ってきたが、基本は崩れていない。芸能は全てリズムに支えられてきたと言ってよい。何よりエイサーのリズムは心に沁みる。綱引きやハーリー、そして祈りにも一定のリズムがある。テンポは、最後のカチャーシー早弾きに入るまでは、一般に遅く、ゆるやかである。このゆるやかさは波の音や時の流れからくるものだろう。沖縄のテンポは、今ではとても貴重である。本土の速いテンポのリズムに巻き込まれないようにしたいものだ。

ものごと、ことに生活の全てにリズムが大切だと思う。寝る、眠る、起きる、食べるなど。これが狂ってくると、健康に影響し、障害が出て体調不良ということになる。呼吸や脈拍にもリズムがある。就寝中の無呼吸とか、不整脈が起こると、気をつけなくてはならない。テンポが速すぎるとリズムも狂ってくる。

文章もリズム感が大切である。流れるような文章は、読んでいても気持ちがいい。ゴツゴツした文章はどこかひっかかる。声を出して読むとそれが判る。文章を書くときにはリズム感にも留意しよう。

歩くのにもリズムがある。大都会の街を歩く人はみんな忙しそう。とにかくテンポが速い。街にもリズムを感じる街とそうでないところがある。ワルツの街ウィーンでは、路面電車がリズミカルに生き生きと走っていた。ドイツのリュデスハイムの街にはワインの香りと軽快なラインワルツが流れ、歩く人の肩が気持ちよく揺れていた。自動車が溢れ、騒音と排気ガスに埋もれた街にはリズムがない。

九五　台風とつき合う

台風が多いのは日本の風土の宿命である。近年、台風が本土にもよく上陸し、大きな被害を出すようになったのは地球温暖化のせいか。昔は「颱風」と書いた。予報技術が未熟で、いつ来るか判らない怖さがあった。突風、竜巻、洪水、土砂崩れ、停電、家や塀、車が吹っ飛ぶなどの恐ろしい災害がつきまとう。私も何回か台風に遭ったことがある。

一九五八年には足摺岬近くの土佐清水で台風の目を体験した。一九五九年の伊勢湾台風では特急さくらの車中で三泊四日を過ごした。一九九一年の台風一九号では公務出張中八代で車が何台もひっくり返った中を通った。二〇一二年には南大東島に船で行く計画が台風で三度も変更させられた。

北インド洋で発生するのはサイクロン、北大西洋で生まれるのはハリケーンという。フィリピン沖の熱帯低気圧がその卵、中心風速が一七メートルになると台風で、すぐ沖縄にやってくる。三三メートルで強い、四四メートルで非常に強い、五四メートル以上で猛烈に強い、となる。大型は半径五〇〇キロ以上、超大型は八〇〇キロ以上というらしい。一九四六年の第二宮古島台風は瞬間最大八五・三メートルだった。沖縄各地では木造の家ごと吹き飛ばされたそうだ。

こんな台風がなぜ文化なのか。それは受け止め方、扱い方にある。沖縄では、台風が来そうになると、サッと行事や集まりを延期または中止してしまう。船や航空機も止まるから、キャンセルも仕方ないとあきらめる。その決断の早さには舌を巻くばかり。

できたての台風はすごい。二五メートル以上の暴風域に入るともう歩けない。バスやゆいレールが止まり、役所や学校、公的機関が一斉に閉鎖される。六〇・一メートルの風速では、私の住んでいるしっかりしたマンションが風でグラリと揺れた。でも厚いガラス戸はもちこたえた。しかもこれが長時間続き、簡単に台風一過とはいかないことが多いのだ。その間は家の中でじっと耐え、台風が過ぎると、すぐまた日常の暮らしが始まる。もちろん砂糖キビはなぎ倒され、漁業も長い間できなくなるなど、多くの被害もあるが、これも天災と受け止める。台風が強烈なわりには停電も比較的少なく、コンクリヤーが主流になったのも台風に対処する知恵だろう。

その一方で、台風は恵みの雨をもたらし、サンゴの海をきれいにし、涼しさを呼んでくれる。難破船の漂着物が孤島の命を救ったという話を聞いたこともある。

同じ沖縄県でも、那覇と石垣島とは東京と大阪くらいも離れている。石垣が荒れても那覇は晴れ、ということもあるから、台風がどこに向かうかが最大の関心となる。この感覚は本土では味わえないだろう。

自然に逆らっても人の力には限界がある。何とか上手くつき合うしかない。

九六　せんべろ

飲酒運転事故が多い。悪質な交通犯罪の一つで、危険運転とされることもある。現役時代、警察の協力で飲酒運転のテストをした。日本酒を飲み、風船を膨らませて血液中のアルコール度を測ったり、尿の検査をしたり、計算をしたりする。私は酒に弱く反応は敏感で、飲んだらすぐフラフラになり、運転どころではなかった。強いと自慢する人や、もう抜けたという人も、息や尿に反応が出るし、計算ができなかったりする。血液検査を拒否されると令状が必要である。夏休みに石垣島で家族と遊んでいたとき、警察から被疑者が検査を拒否しているが、地元の判事が急用で島に不在とのこと。そこで私が代わって令状を出したことがある。そのため公務扱いとなり、あとで旅費まで頂戴した。

酒に酔うのは運転者だけでなく、路上寝という被害者もいる。沖縄の気候では、いい気持ちで寝ていられるから、数も多い。年に七千件、1日に平均一九件の通報があるという。同じ酒どころ秋田では、雪の中の路上寝で凍死する人が多かった。

ところで昨今マチグヮー辺りが様変わりしている。「せんべろ」という看板を出し、簡単に酒を飲ませる店が急に増えてきた。屋台風、飲み屋の店先、スタンド式、止まり木方式と、形はいろいろだが、要するに千円でベロベロに酔えるという、お手軽な簡易飲み屋である。つまみになる二、三品がつき、宵ならまだしも朝や昼から店を開け、深夜に至るまで、結構人気が高く、観光客で賑わっているのである。一〇〇円均一の百均、五〇〇円玉一つで食べられるワンコインランチ、千円ステーキなどと並び、せんべろという言葉自体は面白く、気軽に飲める店という意味をよく表していると思う。でもベロベロというのは、酒に酔ってヘベレケ、フラフラになり、立ちションをしたり、人に絡んだり、けんかをしたり、小間物屋を開業するほど悪酔いすることである。本土の飲み屋街ではよく見かけるが、沖縄的な酔い方ではない。

ウチナーンチュの酒好き、サキジョーグは、ガブ飲みをしない。食事を済ませ、じっくりと腰を据えて、なめるようにして泡盛をたしなむ。杯のやりとり、献酬や、無理に人にすすめることもしない。酔い方もサーフーフー、ホロ酔い加減止まりである。月を眺め、三線の音色にも酔う。飲み方がうまいから悪酔いしない。前川守賢の歌にも「サーフーフー」というのがある。

ベロベロになるというのは本土の発想である。本土ではいいかもしれないが、沖縄ではとても違和感がある。戦後、泡盛の飲み方を知らない旅行者、観光客、赴任者が増え、悪酔いする人が増えている。誰がこんな言葉を流行らせたのだろう。こんな負の文化を持ち込むのはやめて欲しい。

九七　紅芋タルト

うちなーぐちで、ンから始まる一つが「ンム」芋である。糸満漁師はンムだけで暮らしたこともあったという。

本土の芋には、さつまいものほか、じゃがいも、里芋、八つ頭、海老芋、長芋、自然薯などいろいろある。じゃがいもは、料理のほか澱粉を取ったり、ポテトチップスを作ったりする。座間味村で、インカの目ざめという可愛い小粒の芋を食べたことがあるが、おいしかった。里芋料理は、山形の芋煮や秋田の鍋っこ、海老芋は京都八坂神社のいもぼう、山芋は東海道丸子のとろろ汁などが有名だ。むかごは山芋の子、里芋の茎はずいきとして熊本城の保存食にも使われた。沖縄の水田で育つ田芋《たーむ》は季節行事に欠かせない。金武の田芋畑は見事、宜野湾大山のような都会の真ん中にも芋畑が広がっている。貴重な風景で、残しておきたい。ずいきのような茎もムジ汁に活かされている。

さつまいもは、青木昆陽が全国に広めたとされ、東京小石川植物園にその碑が建っている。小江戸の街川越は芋の街といわれ、栗よりうまい十三里のキャッチコピーで、お菓子から懐石料理まで、芋づくしで食べられる。沖縄ではさつまいもと言わないで、唐芋、琉球芋という。

野国総官が中国から苗を持ち帰り、儀間真常が広めて沖縄の飢饉を救ったのは、よく知られている。それが薩摩に流れ、さつまいもと呼ばれるようになった。

子供のころ焚き火で焼き芋をして食べた味は忘れられない。戦時中、敗戦後の食料不足では、米の配給がストップし、芋が配給になった。おなかがすいて郊外に買い出しに行ったこともある。農林一号はまだ甘みがあったが、大きいばかりで甘みもうまみもない芋もあった。芋飯、芋がゆ、芋雑炊、芋だけの暮らしも経験したが、命を助けてくれた。新聞紙でも食べたいほど、おなかがすいていたころの話である。

さつまいもも、紅芋、安納芋など、種類も増えて格段においしくなった。紫色なのになぜ紅芋というのだろう。紫は高貴な色とされるが、あの紫は自然の色である。これを使って「紅芋タルト」という銘菓を作り出した発想は立派で、今ではちんすこうと並ぶ沖縄土産の代表になっている。色といい、口当たりといい、形といい、味といい、なかなかのものだ。一時商標の問題もあったらしいが、今ではいくつかの会社が味を競い合い頑張っている。自由競争と特許、商標の問題は、これからも起こるだろうが、あまり争いはしないほうがいい。検疫の関係で、芋類はまだ生のままでは沖縄から持ち出せない。甲子園出場チームが持ち帰った土を検疫で捨てさせられたのは、復帰前のこと。久米島では紅芋チップスという菓子も作った。紅芋を使った菓子や料理などをもっと開発して新風を吹き込み、川越の上を行こう。

九八　綱を引く

出雲風土記にある神話に、国引きというのがある。昔、八束水臣津野命《やつかみずおみつののみこと》が、綱で島根半島辺りを引き寄せて、出雲の国を大きくしたというのである。国土の拡大で、何か現代の国境の線引きや、戦勝国の領土問題を思わせる。綱引きは運動会の定番スポーツで、一九二〇年のオリンピックまで正式種目だった。貨物列車が沢山の貨車を引いて走る姿は、物流を通して国の力を引くようで頼もしい。

沖縄で初めて大綱引きを見たのは、与那原であった。道ジュネーとか、雄綱と雌綱をカネチ棒でつなぐとか、ガーエーという押し合いとか、手順が全く判らない。見ているうちにやっと判ってきた。綱を東西に分かれて引く前に、その年に選ばれた人が歴史上の人物、例えば護佐丸と阿麻和利といった人物に扮装し、対峙して戦う姿を見せる。これを支度《したく》という。登場人物は毎年変わるが、直前まで秘密だそうだ。与那原の綱曳資料館が保存している写真を見ると、一九八五年の支度に明治天皇と尚泰王が登場しているので驚いた。琉球王国の滅亡と、首里城明け渡しの歴史を知らないと、意味が判らないだろう。

与那原の綱曳、那覇の綱挽、糸満の綱引と、なぜか字が違うが、この三大大綱引きは見応えがある。那覇のは国道五八号線の中央分離帯をどけて、四〇トン、二〇〇メートルに及ぶ大綱をハーイヤのかけ声とともに引く。終わったあと、枝綱を切り取って持ち帰ると縁起がいい。モニュメントが桜坂劇場そばの公園にある。また糸満のは、朝から白銀堂で祈り、終わればまた祈る。そのほか、県内各地の市町村、地区、字、島ごとに、それぞれ大小の綱引きが行われる。豊年祭の締めくくりも大綱引き。南風原の喜屋武《きやん》や、玉城の仲村渠《なかんだかり》では夜に行われるのを見た。本土でも、秋田刈和野の大綱引は、沖縄のと同じくらいの大きな綱で、これも夜、雪の降る中で神事として行われていた。

大綱は稲藁をなって作るが、昨今は藁が少なくなり、どこも入手に苦労している。台湾から輸入したり、使ったものをまた別のところで再利用したりしている。藁をなって作るものには、わらじや、しめ縄がある。わらじはスニーカーに代わり、ほとんど見られなくなったが、しめ縄は波上宮《なんみんぐう》を始め、神社や正月などに使われている。出雲大社本殿の大しめ縄はおそらく日本一、一見の価値あるほど大きく、見応えがある。

南風原町宮平に善縄御嶽《よこつなのうたき》がある。昔沖縄県営鉄道ケイビン宮平駅のあったところで、若い男女が夜集まって遊ぶ毛遊《もあし》びの場所でもあった。地元で慕われていた善縄大屋子《うふやく》は、ある日突然旅に出て帰らなかった。何でも海の彼方の楽園ニライカナイで遊んでいたという伝説がある。一体どんな遊びをしたのだろう。

九九　沖縄の電気

昔から地震・雷・火事・親父は怖いものの代表とされた。凧を揚げて雷が電気だということを発見したのはフランクリン。ヨコ社会の沖縄では、雷も縦に落ちないで横にゴロゴロ広がっていくような感じである。電気という目に見えない不思議なものが存在することは、すでにギリシャ時代、琥珀《こはく》をこすると発生すると知られていたらしい。

今では灯り、電信、電話、ラジオ、テレビ、冷蔵庫、クーラー、スマホと、生活に欠かせないのが電気である。中でも電灯は早く、一八八二年に東京銀座で点灯された。ハイカラや文明の象徴として全国に普及していった。やがて浅草にも映画の電気館や電気ブランが登場し、一八九一年には京都で路面電車も走った。電車は電灯会社の大事なお客であったわけ。戦時中は灯火管制により、電気を消して敵機の去るのを待つ暗い夜が続いた。戦後の電灯は停電ばかりですぐ切れた。二〇一八年、北海道大地震で大規模停電が続き、高度経済成長以来、久しぶりに戦争のころを思い出した。でも灯りは復興のシンボルでもあり。神戸のイルミネーションや、長崎のランタン祭りには、犠牲者への祈りも込められている。

一九一〇年には、那覇の久茂地に火力発電所ができた。高い煙突がシンボルで、那覇と首里に電灯がともった。小禄や泡瀬に電灯がついたときには、これでやっと日本並みになったと喜ばれたという。大正に入ると、那覇と首里を結ぶ路面電車が走り出した。

沖縄戦直後は、アメリカ軍の発電船が那覇岸壁に横付けになり、島内に送電した。その後も水力でなく、石川、牧港、吉ノ浦の火力発電所から配電している。福地ダムをはじめ、イジュの湖、くいな湖、ぶながや湖など愛称をもつダムも多いが、電力でなく給水が中心である。東村新川《あらかわ》の珍しい海水揚水式ダムと発電所を見たことがあるが、いつの間にか操業をやめたと聞く。本土へ送られる沖縄の電照菊も電気のお陰だ。台風のあとの停電もわりと早く復旧する。

沖縄の夜型社会に加え、本土並みに二四時間営業の店が増えてきた。おまけに過度の明るさが街を明るくしている。少し無駄が多すぎるのではないか。一方で淡水化や観光にも電力が使われる。幸い沖縄は、太陽、風力、潮力、地熱など、電力の資源には恵まれた土地柄だ。研究開発をすすめ、原発に頼らない電力の供給に努力してもらいたい。

本土で悩みのタネ、花粉症と、静電気による被害が沖縄にはまずない。私も静電気に弱く、ドアのノブ、車の扉、セーター脱ぎ、握手など、触るとパチパチッときて、その都度つらい思いをしていたが、沖縄に移住してその悩みがなくなった。これもまた、本土に呼びかけていい沖縄の魅力であろう。

一〇〇　リゾート今昔

戦前の鉄道はよく、神社仏閣への参詣線として作られた。川崎大師、成田山、日光東照宮、伊勢神宮、一畑《いちばた》薬師など沢山の例があるが、もう一つ、保養地へお客を運ぶためにも作られることが多かった。余暇、レジャーを過ごすのに、山や海、高原、温泉などに出向くのである。避暑地、行楽地、保養地など、今でいうリゾート地が開発され、富裕層はもとより、一般の庶民も結構レジャーを楽しんでいたのである。東京から近くの箱根、伊豆、伊香保、那須、鬼怒川などのほか、四万《しま》や塩原のように、湯治場の温泉に長逗留をし、心や体を癒すこともあった。

中山道の宿場町であった軽井沢も、高原の避暑、別荘地として開発され、大勢の行楽客が訪れた。星野温泉がリゾート施設の草分けではなかったろうか。私も小さいときに、家族で滞在し、楽しんだことを覚えている。那須の北温泉にも出かけた。途中、祖母と私と妹は駕籠に乗せてもらった。滞在中、往復三里の山道を子どもなりに歩き通し、那須の主峰茶臼岳に登ったのは、心に残る快挙であった。それらのフィルム映像が今も残っている。

戦後のリゾート開発は目まぐるしく、レジャーを楽しむ人が急速に増えた。心や体を癒やすという言葉は、いささかは病的な感じがするので、和ませるとでも言ったほうがいい。

戦前の沖縄は、リゾートどころの話ではなかった。戦後海洋博のころから、見直されてきたのではないか。青い海と南国ムードは、レジャーを楽しみ過ごすのにはもってこいである。アメリカ気分満点のムーンビーチが草分けだった。プライベートビーチや、開放的なホテルの建物は、これまで日本人が接することのなかったリゾート空間である。その後数多くのリゾートホテルができたが、ムーンビーチには古くてもひけを取らない魅力がある。また季節を外せば、格安の地元プランで泊まれるホテルも多い。

離島にもリゾート施設が次々に誕生している。昔は考えられないことだった。海洋レジャー、ゴルフ場、音楽や芸能、グルメなど。大都会の喧噪から離れて自然の中でひとときを過ごし、レジャーを楽しみ、心と体を和ませ休ませて仕事に戻る。これなら元気も活力も復活すると思う。ただ札束の舞うカジノはいただけない。日本人はまだまだ働き蜂で、休むことが下手である。リゾート地での滞在も、もう少し長く、ゆったりしたものでありたい。沖縄への観光客数がハワイを抜いたの抜かないのと騒いでいるが、数よりも質を上げることに力を入れよう。リゾート地といっても、まだまだスマートさではハワイに及ばないようだ。

リゾート開発を進めれば、自然破壊が伴う。住民との摩擦もある。どううまく調和させるかを見守りたい。

一〇一　あまから

戦前、東京自宅の戸棚の中に、琉球の壺に入った黒糖が隠してあった。末の妹が食べようとしたのを、中の妹がダメと注意したが、結局ひもじさのあまり二人でこっそり食べたという。私も知らなかったこの話を、最近妹たちから聞いた。なぜ黒糖があったのか不明だが、おそらく父の親友梶原貫五画伯が、尚家に招かれて沖縄に滞在したときのお土産だったのだろう。戦争中は砂糖も貴重品だった。

一九七七年、私は日本最南端の鉄道に乗るため、東京から南大東島を訪ねたとき、初めて砂糖キビと花の穂を見た。ススキに似ているが、スックと立つ。汽車で製糖工場に運ばれたキビは、蜜を含んで甘かった。お土産に素朴な大東羊羹もいただいた。

その後、沖縄にご縁ができてからは、同じ黒糖でも本島南部、北部、伊江、宮古、多良間、小浜、波照間など、それぞれ形も味も違うことを知った。黒糖の塊とさんぴん茶を出せばそれでよし、誰が来るでもなく縁側に置いておく、もてなしの原点である。サーター車でキビを絞り、シンメー鍋で煮詰めて黒糖を作る工程も、興味深いものであった。

琉球菓子のきっぱん冬瓜漬け、サーターアンダギー、粉黒糖など、甘いものは多いが、沖縄の果物「タンカン」や「マンゴー」、「パイナップル」もこれに負けず甘い。

砂糖の島沖縄は、また塩の島でもある。本土でも古くから、瀬戸内海一帯で塩田による塩作りが行われていたが、国の専売となり、食塩が広く使われるようになっていた。海に囲まれた沖縄は、とくに塩作りが盛んであった。那覇の若狭近くには潟原《かたばる》塩田があり、泡瀬、塩屋、屋我地島、久米島、粟国島などでは、入り浜式という方法でいい塩を沢山作っていた。復帰後、専売で塩が作れなくなり一騒ぎあったが、それも解除され、今では立派なおいしい塩、マースが作られる。与根マースは拝みに欠かせない。宮古島ではちんすこうに混ぜて使う雪塩を作っているし、宮城島では海水から直接、命の塩という意味のぬちまーすが作られる。粉雪のような食感で、新しい沖縄の味を生み出した。読谷の「むら咲むら」では、簡単な塩作りの体験ができる。

本土では魚を塩焼きにするが、沖縄では昔からマース煮が好まれた。新鮮な魚を丸ごと塩で煮るだけなのだが、とてもおいしい。豚肉の塩漬けのスーチカ、沖縄塩せんべい、塩入りアイスなども、塩のお陰である。塩だけを売る店、マースヤーも目につく。

日本で岩塩はほとんど取れないが、塩の貴重な本土の山奥に塩尻、塩原、塩沢などの地名があるのは面白い。川中島の上杉謙信は武田信玄に塩を送った。沖縄の本部《もとぶ》にある国の天然記念物「塩川」は、海辺近くの水源から、海水とは全く関係のない塩水が湧き出ている。

一〇二　大東島

沖縄に北国小学校というのがある。北海道の学校みたいだ。北海道と沖縄は、アイヌの文化や祭祀など互いに通じるものがあるという。地名も、積丹《しゃこたん》と北谷《ちゃたん》、岩内《いわない》と租内《そない》、斜里《しゃり》と首里《しゅり》など、対比すると面白いが、歴史は全く違う。もともと北海道はアイヌモシリという、アイヌの住む静かな大地だった。和人が踏み込んで蝦夷とかエミシと呼び、松前藩も置かれたが、衝突もあった。明治になって開拓使を派遣、屯田兵を配備し、鉄道を敷いたが、それからまだ一五〇年、歴史は浅い。

琉球時代からの古い歴史をもつ沖縄にも、大東諸島だけは開拓の歴史がある。それも北海道や樺太、満蒙の開拓とは異なり、戦争や兵力、政治に直接関わることなく、純粋に民間によって開拓された特色のある島なのである。アメリカも本土復帰のとき「琉球諸島及び大東諸島の返還協定」と別扱いをしている。

大東諸島は、南大東島、北大東島、沖大東島の三つで、もとは無人島であった。うふあがり島として存在がうすうす知られていたが、発見したのはロシアのボロジノ艦隊で、ボロジノアイランドと名付けられた。ボロジノはモスクワの近く、かつてロシア軍がドイツ軍の侵攻を防いだ歴史ある町で、トルストイの「戦争と平和」にも出てくる。南大東島観光大使の吉沢直美さんがこの町を訪ね、写真も見せてくれた。その後、日本海軍が上陸し「国標」を建てて領土としたが、引き続き無人島のままだった。

一九〇〇年、東京八丈島の玉置半右衛門ら島民がこの島に渡り開拓した。南大東島では砂糖キビを、北大東、沖大東島では燐鉱石を主な産業とした。開拓者は定住し、島だけで通用するお金もあったが、土地は開拓会社所有のまま続き、戦後、ようやく琉球政府とキャラウェイ高等弁務官の力により私有が認められた。この土地改革の恩人として、鬼のように言われるキャラウェイの銅像が南大東島に建っている。

南北大東島は船で行くと着岸できず、クレーンに吊るしたカゴで上陸する。一度は船で行って気分を味わった。気象台で毎朝観測バルーンを自動でポンと打ち上げる風景は珍しい。

大東諸島の開拓には鉄道が使われた。南大東島の砂糖キビ列車は、ドイツ製蒸気機関車やディーゼル機関車が一九八三年の製糖期まで走っていた。その動く姿は、私の撮影した八ミリフィルムに残っている。北大東島では、人力のトロッコが鉱石を運んだ。貯蔵所の跡には石造りの建物が壊れたまま美しく残り、国の重要文化的景観に指定されている。沖大東島には動力車による燐鉱石の運搬が大々的に行われていた。その写真はゆいレール展示館に展示してある。戦後この島はアメリカ軍の射爆場になったまま。この鉄道、今はどうなっていることやら。

一〇三　ネーミング

平成の御代が終わり、新元号が生まれる。大事なネーミングだ。このゼミも毎回テーマに題をつけるが、中身を判りやすく興味をひくようなものを考える。名は体を表すというが、イメージを固めてしまうから、命名はなかなか難しい。

自分の名は自分でつけたわけでないのに、勝手には変えられない。でも、愛称やニックネーム、芸名、雅号、ペンネーム、沖縄の童名などは自由につけられる。私のペンネーム「ゆたかはじめ」も、本名石田穣一の名前の部分を読み替えただけだが、それでも別人のように気分がすっかり変わった。

銀行や会社が合併するときお互い顔を立てようと、落語の寿限無みたいな長い名前が生まれる時代だ。昨今は法律の名前まで長たらしくなった。民法、刑法、商法など、昔は明快だった。そこで略称をと考える。でも略称は度が過ぎると訳が判らなくなる。テレビでも「アサイチ」「サラメシ」くらいまでが限度か。

施設や建物、駅などに商業目的や広報のために名前をつけることがある。沖縄セルラースタジアムとか、南風ぬ島新石垣空港といった具合である。東京山手線に新しく出来る駅は高輪ゲートウェイに決まった。珍しい駅名や「南阿蘇水の生まれる里白水高原」のように長い駅名をつける作戦もある。駅弁の「峠の釜めし」「ひっぱりだこ」はヒットだろう。

　那覇の長虹堤や、識名園観耕台の命名は冊封使によるものだった。漫湖に浮かぶガーナ森は、ガチョウやコブを意味したが、さすが文化人徐葆光は鶴頭山と名付けた。戦後は「りうぼう」「ライカム」「わしたショップ」のほか、「とまりん」「ヒストリート」などの造語も生まれている。コザから沖縄市へ、うるま、南城、八重瀬と、市名や町名を変えるときも命名は大切だ。沖縄の本土復帰を願い国鉄が走らせた特急「なは」号は、おきなわ、しゅり、ひめゆり、でいごの候補を抜いて決まった。沖縄都市モノレールの愛称ゆいレールは、東京のゆりかもめに匹敵する優れた名前である。おもろまち駅では毎年、「お」と「ち」の文字を抜いた、落ちない入場券を合格祈願に売り出している。

　食べ物にもマムシ、爆弾、おばけ、かやくなどがある。馬糞うに、へくそかずらも可哀そう。沖縄では、泡盛と違う庶民の酒であった「イムゲー」を復活させようとしているが、何だか胸に詰まりそうだ。学名にこだわるのも問題である。みんなブーゲンビリアと呼んでいるのに、学名はブーゲンビレアだと、新聞にもそう書くが、ビリアの方が語感も美しい。私も原稿はビリアで書くがよく直される。戦争を思わせるテッポウユリも。外国ではトランペットリリーという。白く美しい沖縄原産の百合は、沖縄白百合とか、琉球リリーとか、愛称で呼びたい。最後に「ハブ空港」、ドキリとしないか。

一〇四　はまうい

平成の天皇在位三〇年を祝う式典で、天皇が詠まれた琉歌に皇后が作曲された歌を沖縄出身の歌手が歌った。沖縄の歴史をよく学ばれ、一一回も訪問、常に格別の想いを寄せられている。でも沖縄では一般に、天皇には悪いイメージがつきまとう。江戸末期までは無縁の存在、明治天皇は琉球処分を断行し、教育などで沖縄を差別、昭和天皇は沖縄地上戦を引き起こした。これでは憎いのも当然だろう。

新暦三月三日は桃の節句、雛まつりである。親王とお妃をかたどった人形で、立ち雛や流し雛などもあるが、内裏《だいり》さまを中心に、三人官女、右大臣左大臣、五人囃子などを緋毛氈《ひもうせん》の上に飾る段飾りが多く、春の風物詩ともなっている。きらびやかな宮中風景を模したものだ。ことに内裏さまは、男性は束帯、女性は十二単《ひとえ》におすべらかしの髪型で、天皇、皇后を表すといわれている。

天皇と無縁だった沖縄に、なぜこのような宮廷文化のモデルを飾るようになったのだろうか。戦前の皇統教育の影響かとも考えられるが、お年寄りに聴いてもこの風習はあまりなかったようだ。むしろ戦後、本土からの赴任者が、子供の行く幼稚園や保育園に「お雛様も飾らないのか」と文句を言ったのがきっかけで、あまり深く考えずに飾りはじめ、それが広まったのではないか。雛飾りは、とても美しく優雅だから、これも異文化と心得た上で、飾ったらいいと思う。

数年前、沖縄市の一番街で、琉球国王と王妃を内裏様に見立て、御供の女性や楽童子《がくどうじ》、仕官などを飾った琉球王朝風の雛壇飾りを見たことがある。本土の雛壇飾りに負けない美しさで、チャンプルー文化の一つとして上出来だと思った。これ、沖縄で盛んな空手やなぎなたなどの人形を加え、もっと広めたらどうだろう。

沖縄本来の浜下り《はまうぃ》は旧暦の三月三日。宮古ではサニツ、八重山ではサニヅという。海が暖かくなる大潮のころ、女性が浜に出て足を海につけ、身も心も清め、健康を祈る行事だ。貝や小魚などを採る潮干狩りもして、浜でご馳走をいただくという女の楽しい祭りである。泊阿嘉のような沖縄芝居の舞台にもなっている。

宮古島の沖合に年に一度現れる幻の大陸ヤビジは、旧歴三月三日前後の大潮の日だけの楽しみだ。私も漁船をチャーターして訪ねているが、今は有名になりすぎた。座間味村の浜下り「流れ船」は珍しい。浜での祈りのあと、男も乗り込み、大漁旗や幟で飾った船があちこちから集まってきて、海上をパレードする。やがて船は数隻ずつに寄せ合い、みんなでお酒を酌み交わし、三線、太鼓に合わせてカチャーシーを踊りながら港へと戻る。お雛さまもびっくり。私も「流れ船」に参加したことがある。そのとき撮影した映像をお目にかけよう。

一〇五　琉球八社

新天皇が即位に参拝される伊勢神宮は、天照大神を祀る内宮と、食事を司る豊受大御神を祀る外宮に分かれている。日本には多くの神々がいて、八百万の神と呼ばれる。出雲大社、熱田神宮などの著名な神社から村々の鎮守さまに至るまで、実に数が多い。氏神といって地域の神社を崇める風習は今でも根強く、神社神道という宗教とは関係なく参詣される。かつては神仏混淆《こんこう》といって、神社とお寺はあまり区別されなかった。

明治神宮はともかく、古くは菅原道真や徳川家康などが神として祀られ、乃木将軍、東郷元帥も神社になっている。また靖国神社や護国神社には軍人兵士が祀られた。沖縄にも民間人を神として祀る世持《よもち》神社、総官神社などがあるが、移民の父当山久三やボクシングの具志堅用高のように、銅像で崇める手もあるだろう。

琉球はもともと自然信仰の土地柄で、神社仏閣の数が本土に比べとても少ない。御嶽《うたき》、拝所《うがんじゅ》が信仰の場所であった。ただ中国から入った土の神土帝君《とていくん》や、航海の神天妃、霊石ヒジュル神などはあるし、観音堂は今でも首里、奥武島、石垣富崎など各地に残っている。琉球王朝は中国から仏教を取り入れ、立派なお寺も建てた。第二尚氏の菩提寺円覚寺や、歴代国王の霊を祀る国廟崇元寺はその代表格だが、沖縄戦で消失した。経塚の日秀上人《にっしゅうしょうにん》や、エイサーを広めた袋中上人《たいちゅうしょうにん》なども沖縄に来ている。現在、袋中寺、大典寺、真教寺、万松院などの大きなお寺もあり、琉球第一の波上宮も護国寺に隣接している。ベッテルハイムに始まるキリスト教の布教も、戦後は普及し、教会も多く建てられた。

数少ない沖縄にある代表神社八つを琉球八社と呼んでいる。いずれも真言宗の寺が併設され、うち七社は熊野権現を祀る。沖宮は八社の中で最も古いとされ、天燈山からの眺めがいい。初詣で賑わう。波上宮はナンミンと呼ばれて親しまれる。難民ではない。県下一の宮で官幣小社の格をもった。お祭が盛んで、戦前は花電車が走ったこともあった。安里八幡は、八社の中で唯一武の神、神功皇后を祀っている。天久宮は崖の中腹にあり素朴な社殿である。隣の聖現寺では、この春、京都から修行僧が来て火渡り修行を行った。

識名宮は改築されたばかりで美しい。街なかにありながら鳥が鳴く　バス停から最も近い。末吉宮は末吉公園の高い所にあり、遠くからも見える。急坂を登るとアーチ型トンネルの石段があり、不思議な空間だ。那覇の眺望がいい。普天満宮には洞窟があり、戦前参道の松並木が美しかったという。金武宮は観音堂の境内にあり、ここにも洞窟があって泡盛が眠っている。古酒が熟成するというので私もお預けしたことがある。本土のお遍路や七福神詣でのように巡ってみたらどうか。ただ無人のところもあるので、ご朱印集めにこだわらないこと。

一〇六　島豆腐

沖縄には運玉義留《うんたまぎるー》がいたが、石川五右衛門のような大泥棒はいなかった。「絶景かな絶景かな」のせりふで有名な歌舞伎の楼門五三桐は、京都の南禅寺が舞台で、ここには名物の湯豆腐がある。また東京根岸には「笹の雪」という豆腐料理店があり、「豆富」と書いたオンパレードの味が楽しめる。豆腐が様々に変化するのは驚くほどだ。

なめらかな絹ごし、木綿豆腐、焼き豆腐から、おいなりさんに欠かせない油揚げ、厚揚げ、「ひろうす」と呼ばれるがんもどきなど、素材の種類も多いが、湯豆腐、冷や奴、炒り豆腐、味噌汁、鍋料理、すき焼き、おでん、味噌田楽、ステーキ、ハンバーグと、料理の巾も豊富で、日本の代表食材の一つである。さらにオカラという産業廃棄物までおいしく利用される。また全国各地には、精進料理に使われる高野《こうや》豆腐、凍《しみ》豆腐や、ごま、クルミ、アーモンド、あんずの種で作る杏仁《あんにん》豆腐などの変わり豆腐も豊かである。

沖縄の島豆腐は本土の豆腐とはひと味違う。水につけ軟らかくした大豆を石臼でひくまでは同じだが、そのあと生搾りをしてから煮て作る。にがりに海水を使い、熱いアチコーコーのまま売る、手でつかめるほど固く、一丁が八〇〇グラムと大きく重い。本土では豆汁を煮たあと搾り、冷たい水につけたまま販売する。柔らかく上品だ。

島豆腐の食べ方も豪快そのもの。ゴーヤー、フー、たまなーなど、チャンプルーと名がつくものには必ず豆腐が使われる。切るのでなく、手でむしってバンバン入れるのだ。豆腐を入れないのにソーミンチャンプルーというのはおかしいという人もいる。ソーミンプットゥルーが正しいそうだ。スクガラスをのせたつまみ、豆腐よう、ンブシー、イリチー、煮付けなどのほか、沖縄風スキヤキにはドカンと大きな豆腐が一個鎮座する。さらに麻婆豆腐のような中華風料理にも使う。サキ、スバと並んでとうふジョーグという豆腐好きもいるくらいだ。

ゆしどうふは何と優しい豆腐だろう。固める前のふわふわした豆腐である。汁に入れてよし、スバにかけてよし、熱いまま袋に入れて売っている。ひと昔前。コザの裏通りでチリンチリンと鈴を鳴らし、自転車でゆしどうふを売って歩くおじさんの姿を見た。私が沖縄に赴任したころ、官舎が水のきれいな繁多川にあったので、豆腐屋さんがあちこちにあったのを覚えている。できたばかりの熱い豆腐を、何もつけずに食べたことがあるが、まるでスイーツのように甘く、おいしかった。落花生から作るジーマミー豆腐は沖縄の特産。ねばりの強い良品は、料理というより、スイーツそのものだ。

豆腐は固く乾かして紅型型紙彫りの台ルクジューに使われる。彫りやすく、刃先が傷まないという。誰が考え出したのだろう。豆腐が琉球文化をこんな形で支えているなんて、すてきではないか。

一〇七　沖縄の煙

携帯からスマホへと、情報の伝達が世界一瞬のうちに行われる時代となったが、昔はそうでなかった。電信、電話が生まれるまでは、矢文、早馬、飛脚などが活躍したが、海に囲まれた沖縄では狼煙《のろし》が使われた。冊封使を乗せた御冠船の来航も、いち早く首里に伝わった。煙は琉球の島々では大事な通信手段だったのである。

那覇の前島中公園に焚字炉《フンジルー》、がある。再建ものだが、文字を書いた紙を粗末にしないようこれを焼いて煙にした。尚育王のころ冊封使林鴻年のすすめで各地に建てられ、百名、翁長、諸志などの集落には今も残っている。台湾や長崎にもあるそうだ。

戦前は、山原船が山原と与那原を往き来した。木綿の帆二枚で走るマーラン船で、薪や炭などの燃料を運び、日用品雑貨を積んで帰った。薪は竈に必要なもので、里芋雑炊ちんぬくじゅーしぃを煮る煙キブシはけむたかった。壺屋の登り窯にも薪が使われ、煙が立ちのぼった。尚真王一六八二年に湧田、宝口、知花にあった窯を一つにまとめたのが壺屋である。戦後、煙が嫌われて読谷村に移された。

やがて燃料は石炭に代わる。石炭は西表島や内離島《うちばなり》の炭鉱からも掘り出されたが、過酷な労働は今も語り継がれている。風呂屋や電気会社の煙突からは、黒い煙がモクモクと出ていた。那覇とヤマトとの通い船は、煙突から黒い煙を吐いてお客を運んだ。鹿児島や阪神航路には、大阪商船の船が就航していた。ヤマトへ就職する我が子を那覇まで見送りに行けず、松葉を焚いて沖行く船を見送ったという「白い煙、黒い煙」の話も、名護城公園に建つ碑が語っている。沖縄県鉄道ケイビンも、小さな蒸気機関車が煙を吐いて走っていた。対馬丸撃沈の悲劇、十・十空襲に始まる沖縄地上戦は、沖縄の全てを煙に巻き込み、灰にしてしまった。

今の沖縄で煙を見ることが出来るだろうか。あるある。祭のフィナーレを彩る美しい花火の煙、ビーチパーリーや、ステーキハウスに漂う焼き肉の煙、爆竹や焼香、ウチカビなど。スモッグ、黄砂、竜巻、火事などの煙はいただけない。沖縄独特のたばこに「うるま」「ハイトーン」「バイオレット」の三種があったが、少しずつ消えていった。こういうものは残しておいたらいいのに。

たばこより恐ろしい煙がある。自動車から吐き出される排気ガスだ。昨今、たばこの害が取り沙汰されて、愛煙家には少し厳し過ぎるほど。でもたばこの煙は少々吸ってもすぐ健康を損なうことはないが、排気ガスは一家心中できるほどの猛毒ガスである。沖縄は海風が吹き飛ばしてくれるので、問題にされないでいるが、嫌がる人も多い。車の排気ガスを減らすよう本気で考えなくては。

一〇八　松づくし

皇居で一番大事な部屋は松の間である。歌舞伎の仮名手本忠臣蔵は殿中松の廊下。ちなみに伊江島の「組踊忠臣蔵」は沖縄郷土芸能の中でも屈指の傑作だ。

松は格調の高いもので、お手植えの松や、正月の門松などにも使われる。松竹梅の中でも一番上。今は松の芯が美しい。東海道は松並木、昔の汽車時刻表の表紙にも描かれていた。松茸の生える赤松と、黒松は知っていたが、琉球松の美しさは、南大東島の鉄道沿線に生えていた松並木で知った。今もフロンティアロードとして残る。久米島五枝の松、伊平屋念頭平松、座喜味城址、今帰仁仲原馬場、松田小学校、伊是名の琉球松公園など、ため息が出るほど美しい。普天満宮参道の松も美しかったという。沖縄は意外と松が多く、ご縁も深いが、モクマオウと松の区別がつかない人もいる。

那覇にも松山がある。戦前裁判所があったところで、近くには知事、裁判所長、検事正官舎などがあり、官宅小路と呼ばれていた。松山御殿は尚真王の娘の邸宅、後に尚泰王の子尚順松山王子の邸宅となった。松尾や松尾山の地名もある。松尾の獅子シーサーマーチューはハーバービューホテルの裏泉崎にあるが、この一帯は仲里松尾と呼ばれていたらしい。私の住まいも松尾にある。日秀上人が妖怪を退治したのは松川、昔路面電車停留所のあった松田橋は消えた。松島、松本、松田、久松五勇士の出たのは久貝と松原が一緒になった久松の集落である。

組踊「執心鐘入《しゅうしんかねいり》」には若松が登場し、「銘苅子《めかるしぃ》」の舞台には大きな松が描かれる。沖縄芝居には松金と呼ばれる人物もよく登場する。歌舞伎では「勧進帳《かんじんちょう》」のように大きな松を描いた背景を使う出し物を松羽目ものというが、世話物、切られ与三郎のような舞台には見越しの松も描かれる。そういえば「お富さん」を作曲したのはウチナーンチュの渡久地正信であった。

松岡政保は金武町出身で琉球政府時代最後の行政主席で、当時キャラウェイ旋風で混乱したあとの始末で苦労した。松田道之は一八七九年の琉球処分を断行し、その後東京府知事になっている。南風原町津嘉山にある松風苑は、ウルトラマン生みの親である金城哲夫の生家。その遺品の数々が展示されている。

松ボックリ、パイナップル、松葉オラシェーは松葉相撲。本土の松葉かにや松茸は高級食材。松は、戦時中ガソリン不足を補うため松根油が作られた。傷痍軍人、兵士は松葉杖を使い、痛ましい姿が街に溢れた。松食い虫の害とともに、もうご免だ。

松は鉄道の枕木にも使われ、向きを変えるための松葉線もあったが、沖縄のケイビンに使われたどうかは定かでない。私の鉄道全線乗り歩き、国鉄最後の終着駅は、秋田県角館線の終点、松葉駅であった。

一〇九　人生の終着駅

行先不明列車というのがある。人の一生も似たようなところがある。終着駅は必ずあるが、いつどこでどうなるかは全く判らない。誰でも長く元気で生きたいと願うが、なかなか思うようにはいかないものだ。

沖縄県はかつて全国一の長寿を誇ったが、昨今ガクッと落ちた。男が二六位に落ちたときは二六ショックと言われ、今や短命県となってしまった。おじいさんのことをタンメーというから仕方ないとか、食事がアメリカ風になったせいだというが、車依存社会で歩かなくなったことも原因の一つだろう。ピンコロで逝きたい、延命治療は受けたくないと、命への執着は人さまざまだが、高齢になると少しずつ薄れていくようである。

「なんでも鑑定団」というテレビ番組がある。美術、骨董、珍品と、よくもまあ集めたものだ。コレクションは、本人が満足するだけで、亡くなったあとはみんながもてあまし苦労する。高齢になったら身辺を整理しよう。といってもなかなか難しい。まず「もの」への執着を断つこと。衣類、図書、骨董など、どうせあの世にはもって行けないものばかりだから、売るとか、人にあげるとか、寄付するとか、積極的に考えるのがいい。私が鉄道図書を沖縄キリスト教学院大図書館に、鉄道グッズをゆいレール展示館に全て寄贈したのも、宝を沖縄で活かすつもりでしたことだったが、結果的には身辺整理となった。

でも思い出の品は捨てられない、最小限のお金は確保したい、借金はなるべく残さない、遺産は仲良くわけて欲しい、といろいろな思いが残り、胸が痛む。これに執着しないよう心がけることも身辺整理のうちである。あの世で役に立つのはウチカビだけだ。葬儀や埋葬は、自分が取り仕切るわけでないと思えば気が楽になる。遺言も、公正証書にするとか、方式を誤ると無効になるとかで気が進まない。正式でなくても、自分の考えを書面に書いて印を押し、身内のみんなに渡しておく手もある。不労所得である遺産を分けるときの指針にはなるだろう。

アイデンティティーという言葉がある。辞書には「自己同一性」「それ自身であること」「他と区別される一人の人間性の個性、独自性」とか書いてあるが、さっぱり判らない。地域や歴史、生活、文化などの違いから生まれるもので、自分自身が感じればいいのだろう。つきつめれば、いま沖縄という土地に住み、独特の文化に包まれて暮らし、自分らしく生きることではないだろうか。一日一日を大事に過ごせば、気分もいいし悔いも残らない。桜坂市民大学のこの講座も、少しはお役に立っただろうか。こだわりを捨てて、明るく長寿を全うしようではないか。

あとがき

よく「法曹界からなぜ手を引いたのですか」と聞かれる。
裁判の仕事は厳しい。世の中の暗い面ばかりを見つめ、本当か嘘かを見抜いて正しい判断をするのは至難のわざである。常識より条文を振りかざして争い、法に触れず証拠がなければ何をやってもいいという風潮に嫌気もさしてきた。判事を天職として選んだ以上、定年までは全力投球するが、あとは自分の好きな道を歩みたい。法律家の資格は四〇年も使えばもういいではないか。東京から離れ、沖縄に移住したことで、この思いを遂げることができたのである。

九一歳になってからの出版、思いもよらなかったが、桜坂市民大学と受講生の皆さん、琉球新報社と、編集を担当してくださった新星出版の坂本菜津子さんらに、厚くお礼を申し上げたい。また、家内の石田慶子とは今年ダイヤモンド婚を迎えた。私と一緒に移住したあとも陰から健康を支えてくれたことに感謝している。

沖縄で新しい人生を歩み続けて二七年、「もうひとつ」のほうがよっぽど面白い。

二〇一九年十一月

ゆたか　はじめ

桜坂市民大学「ゆたかはじめのゆんたくゼミ」第100回記念、
受講生の皆さんと。2018年12月４日（桜坂市民大学提供）

ゆたか はじめ　（本名　石田穣一）

一九二八年、東京生まれ。成蹊高校（旧制）　東大法学部卒
最高裁調査官、最高裁経理局主計課長・同総務課長
東京地裁判事、那覇地裁所長、宇都宮家裁所長
東京高裁判事、福岡高裁長官などを務めた
一九九三年、東京高裁長官を定年退官・沖縄に移住
沖縄キリスト教短大教授。沖縄県行政オンブズマンを務めた
全国鉄道完乗の経験から沖縄に路面電車の導入を提唱中
現在、美ら島沖縄大使、桜坂市民大学講師を務める

主な著書
『沖縄の心を求めて』（おきなわ文庫・ひるぎ社）
『自分を輝かせてみませんか』（ボーダーインク）
『沖縄に電車が走る日』（ニライ社）
『広田弘毅の笑顔とともに』（弦書房）
『沖縄の鉄道と旅をする』（沖縄タイムス社）
『汽車ポッポ判事の鉄道と戦争』（弦書房）

もうひとつの沖縄文化
―ゆたかはじめのゆんたくゼミ―

2020年1月3日　初版第1刷発行

著　者　ゆたか　はじめ

発行者　玻名城　泰山
発行所　琉球新報社
〒900-8525
沖縄県那覇市泉崎1-10-3
問合せ　琉球新報社読者事業局出版部
電話（098）865-5100
発　売　琉球プロジェクト
制作・印刷　新星出版株式会社

ISBN978-4-89742-250-3　C0095
定価はカバーに表示してあります。